D1319134

Le sexe *en mal* d'amour

Révision : Nicole Raymond
Correction : Anne-Marie Théorêt

**Catalogage avant publication de
Bibliothèque et Archives Canada**

Robert, Jocelyne

Le sexe en mal d'amour

1. Morale sexuelle.   2. Vie sexuelle.   3. Sexualité
I. Titre.

HQ32.R62 2005   176   C2005-940443-4

Pour en savoir davantage sur nos publications,
visitez notre site : **www.edhomme.com**
Autres sites à visiter : www.edjour.com
• www.edtypo.com • www.edvlb.com
• www.edhexagone.com • www.edutilis.com

DISTRIBUTEURS EXCLUSIFS :

• Pour le Canada et les États-Unis :
  MESSAGERIES ADP*
  955, rue Amherst
  Montréal, Québec H2L 3K4
  Tél. : (514) 523-1182
  Télécopieur : (450) 674-6237
  * Filiale de Sogides ltée

• Pour la France et les autres pays :
  INTERFORUM
  Immeuble Paryseine, 3, Allée de la Seine
  94854 Ivry Cedex
  Tél. : 01 49 59 11 89/91
  Télécopieur : 01 49 59 11 96
  Commandes : Tél. : 02 38 32 71 00
                    Télécopieur : 02 38 32 71 28

• Pour la Suisse :
  INTERFORUM SUISSE
  Case postale 69 - 1701 Fribourg - Suisse
  Tél. : (41-26) 460-80-60
  Télécopieur : (41-26) 460-80-68
  Internet : www.havas.ch
  Email : office@havas.ch
  DISTRIBUTION : OLF SA
  Z.I. 3, Corminbœuf
  Case postale 1061
  CH-1701 FRIBOURG
  Commandes : Tél. : (41-26) 467-53-33
                    Télécopieur : (41-26) 467-54-66
                    Email : commande@ofl.ch

• Pour la Belgique et le Luxembourg :
  INTERFORUM BENELUX
  Boulevard de l'Europe 117
  B-1301 Wavre
  Tél. : (010) 42-03-20
  Télécopieur : (010) 41-20-24
  http://www.vups.be
  Email : info@vups.be

Gouvernement du Québec – Programme de crédit d'impôt
pour l'édition de livres – Gestion SODEC –www.sodec.gouv.qc.ca

L'Éditeur bénéficie du soutien de la Société de développement
des entreprises culturelles du Québec pour son programme
d'édition.

03-05

Dépôt légal : 1er trimestre 2005
Bibliothèque nationale du Québec

ISBN 2-7619-1947-5

Le Conseil des Arts du Canada
The Canada Council for the Arts

Nous remercions le Conseil des Arts du Canada de l'aide
accordée à notre programme de publication.

Nous reconnaissons l'aide financière du gouvernement du
Canada par l'entremise du Programme d'aide au
développement de l'industrie de l'édition (PADIÉ) pour nos
activités d'édition.

Jocelyne Robert

Le sexe en mal d'amour

De la
révolution
sexuelle
à la régression
érotique

LES ÉDITIONS DE
L'HOMME

Reconnaissance de dette

Tout livre est fait d'autres livres. Pour écrire celui-ci,
j'ai certes été inspirée par des auteurs dont les idées
ont pu se fondre dans les mailles de ma propre pensée.
À celles et à ceux à qui je ne lèverais
pas nommément mon chapeau, toute mon amitié.

À Philippe. Pour l'arc-en-ciel reliant
Bourg-en-Bresse, France, à Longueuil, Québec.
Pour le bonheur de traverser le temps ensemble.

À Véronique. Puisses-tu transcender
l'X pornographique qui colle
aux fesses de ta génération X.

À Alice. Dans l'espoir qu'un jour,
au-delà des fuck friends[1]
de ta génération IIIe *millénium,*
tu maries l'amour à l'érotisme.

---

1. Expression adolescente pour désigner la ou le partenaire avec qui on partage le lit sans autre engagement affectif.

En guise de préliminaires
LA MÉTAPHORE DU PETIT POIS

Une légende amérindienne dit que le bonheur se cache dans un **petit** pois. Et que si on l'ignore, on perd à coup sûr le petit pois et… le bonheur.

C'est minuscule, un petit pois. Ça roule, ça glisse et se faufile partout. C'est si banal qu'on oublie son existence. On le délaisse, on l'abandonne au fond d'une poche ou d'un tiroir. On finit par ne plus même savoir qu'on le possède. Cette métaphore, il me semble, se transpose bien à notre propos, à l'idée d'un sens de la fête égaré en cours de *dé*route amoureuse.

Mes souvenirs d'enfant exhalent les parfums de ce petit pois : des effluves, aussi inodores que les phéromones qui nous atteignent en plein cœur d'inconscient. Pas besoin d'en faire sa devise pour se souvenir[2]. Il suffit de fermer les yeux et de laisser monter à la surface les bulles toutes pétillantes des jours de fête. Le petit pois aimait le dimanche, car le dimanche était un *jour-guir-lande* : on se faisait beau, on portait nos plus beaux atours et nos chaussures « dominicales ». On égrenait le temps… Personne, pas même mon impie de père, ne travaillait ! Et je croyais que c'était parce que tout tout tout était fermé ce jour-là que les portes des maisons se sentaient obligées de s'ouvrir toutes grandes. On faisait bombance et pas dans la cuisine, mais dans la salle à dîner des grands jours ! On rallongeait la table pour s'y agglutiner, disponibles au plaisir et à l'autre.

Le dimanche était donc une journée « petit pois ». Ce jour-là, je sentais bien que le bras de ma mère frôlait mon père

---

2. La devise du Québec est : « Je me souviens ».

différemment en servant la soupe. À mes yeux, ma mère avait, en plus de son tablier du dimanche, des bras du dimanche. Je sentais confusément que ces bras-là n'étaient pas tout à fait ceux d'une maman et je percevais dans les yeux de mon géniteur un trouble qui ne nous appartenait pas à nous, les sept enfants. Le dimanche, il faisait toujours chaud, beau et ensoleillé. Pourtant, il a bien dû pleuvoir quelques fois…

Il y avait plein de *jours-guirlande* ! Chaque semaine avait son pigment et son lustre singuliers, les quantièmes se suivaient mais ne se ressemblaient pas. Certaines journées étaient tout éclaboussées de sens de la fête, tout emballées comme des cadeaux. Il y avait le *blue jean* du samedi, le *slow* cochon du vendredi soir, le programme télé du mercredi. Que dire du privilège exceptionnel de manger au salon ou dans les marches de l'escalier ? De boire un coca-cola ? Du rare bonheur de recevoir un ami à dormir ? Des sensuels frôlements de mains avec le mignon voisin ? Du baiser que l'on pratiquait comme on s'adonne à un sport ou à la prière ? De la grande visite du temps des fêtes ? Et cette cérémonie de glace au printemps, alors qu'en bande nous la fracassions, tout à la joie d'entendre le bruit de nos semelles ferrées sur les trottoirs asphaltés… Nostalgie ? Non, rappels d'une grande sensualité.

Fait-on une différence aujourd'hui entre les mardis et les dimanches ? Entre les fringues du samedi et celles du mercredi ? Entre un terrain de stationnement de centre commercial le lundi ou le dimanche ? Êtes-vous, comme moi, entouré de travailleurs autonomes ou de personnes exerçant des professions libérales ? Ils travaillent en pyjama, dans le bain, sur la cuvette de toilette, à poil, le samedi, à Noël, la nuit, en mangeant, en vacances, dans l'avion, dans le bus, en baisant… Regardez les ados. À 14 h en classe de maths ou à 3 h du mat dans un *rave party*, ils sont toujours *dés*habillés pareil ! Ils ignorent la joie de mouiller en se sirotant la peau du cou : ils s'exercent à sec à la *minette* et à la pipe !

C'est comme si, en égarant le petit pois du sens de la fête, on avait perdu le sens des repères, le sens de la distance et des rituels, le sens des temps d'attente et des temps de désir, le sens des saveurs particulières, le sens du bonheur et du sacré, de l'exceptionnel et des instants de grâce, et peut-être surtout le sens de la valeur des valeurs. L'air du temps est à l'immédiateté, à l'uniformité, au tout permis tout le temps, tout de suite, tout seul, tout cru ! Et si le propre du sens de la fête, c'était le privilège ? Quand c'est toujours la fête, ce n'est plus jamais la fête. La fête à perpète, c'est la banalité, c'est la *contre-fête* ou l'*anti-fête*...

Vous avez deviné que le lien métaphorique que j'établis entre l'aptitude au plaisir et le petit pois du bonheur n'a rien à voir avec le grand manitou de la jouissance féminine, cet organe en forme de petit pois rose et rond... À quoi cela rime-t-il ? La satisfaction humaine et érotique est inaccessible à ceux et celles qui ont égaré leur petit pois. Aussi hors d'atteinte que l'orgasme dit « clitoridien » à une femme excisée.

Voici donc un ouvrage sans autre prétention que de susciter et d'intensifier la réflexion et les initiatives de ceux et celles qui, comme moi, auraient envie de purifier l'air de la puanteur pseudo-érotique ambiante, axé sur le cul obligé, performant, instrumental, mécanique, utilitariste et triste comme un jour de corvée.

Surtout, pas de méprise : je ne suis ni désillusionnée, ni nostalgique, ni *full fru*[3]. Professionnellement, on me taxe parfois de faire plus dans la *sexosophie* que dans la sexologie et, ma foi, je m'en glorifie. Personnellement, je suis pleine de rêves et de joie : quinquagénaire, mère et « grande-mère » mais femelle, et amante. Je suis amoureuse d'un homme qui, à mon âge vulnérable, n'en finit pas de m'embraser et de m'apprendre, en m'aimant si juste, à mieux aimer. J'aime. J'aime sa fragilité solide, sa peau burinée

---

3. Totalement frustrée, en *adolangue* québécoise.

d'histoires étrangères, ses yeux qui bandent bien avant son sexe, l'inclinaison de sa tête dans les moments de doute, l'odeur de son corps que je reconnais à la sonnerie du téléphone, sa main éclatée d'orgasmes sous ma nuque, ses petites dents laiteuses derrière ses lèvres vineuses, le grain de sa peau qui réveillera en moi, jusqu'à 100 ans, l'envie de m'y poncer.

À part ça ? J'aime ma petite chatte, mon petit chien, mon petit frère… Le cul tout cru me distrait. Mais il ne peut rivaliser avec le cul aimable – au sens étymologique de ce qui suscite, mérite et est susceptible d'être aimé – au nord duquel un cœur bat et une tête pense. J'emprunte à Boris Cyrulnik[4] cette formule : «Toutes les observations que vous lirez dans ce livre sont fausses.» On ne peut qu'observer les effets sur soi-même des conduites et comportements que l'on prétend étudier et décrire. Par conséquent, tout ce que vous lirez dans ce livre est véridique.

---

4. Boris Cyrulnik, *Sous le signe du lien*, Paris, Hachette Littérature, 1989.

NOTE D'INTENTION

Ce livre n'est pas un manuel. Ni un guide. Je cherche seulement à exprimer une opinion sur un débat qui ne se fait pas à mon goût. Je parlerai d'amour, d'érotisme, de sexualité, convaincue que voilà des états qui ne se chantent et ne se célèbrent qu'en poésie. C'est donc dire qu'écrire ce livre me turlupine un peu, me fait éprouver le besoin ridicule de m'excuser : non seulement je vais, moi aussi, vous causer de sexe, mais en plus je gagne ma vie avec. De là à avoir des fantasmes de pute... je jure que non !

Je refuse de me laisser enfermer dans le carré de sable de la génitalité, d'être assimilée aux spécialistes patentés du cul. J'ai envie d'exprimer ma dissidence, de dire que j'en ai par-dessus la tête de cette quête effrénée de conformité, de cette soif éperdue de correspondance à des normes aussi ridicules qu'inaccessibles, de toutes ces lettres et questions angoissées qu'on m'adresse et qui se terminent invariablement par : «Suis-je normal ?» De l'intérieur de ce tapage sexuel, je hausse le ton pour dénoncer les diktats assommants qui purgent les hommes et les femmes de leur humanité.

Et puis, j'avoue être habitée d'un glauque sentiment d'échec. La sexualité a mauvaise mine. Nous avons échoué à promouvoir le sens de la fête et la célébration de l'être humain, l'aptitude au bonheur autant qu'à l'orgasme, l'intérêt érotique plutôt que le désir exacerbé de performance. Et les quelques gouttes d'encre que je vais ajouter au grand fleuve érotique qui a tant fait couler de sueurs, de larmes et de fluides corporels n'y changeront pas grand-chose.

Sous diverses formes, l'érotisme a été jusqu'à ce jour une «science» de l'interdit. Nos parents ou grands-parents ont vécu sous le règne des trois F : fidélité, fatalité, famille. Vertus et privations fatiguaient le désir. Nos enfants et nous sommes figés sous la férule d'un tyran tripartite : le cul, le corps, le *cash*. C'est désormais l'excès de sexe qui anesthésie le désir. Interdit, mystère et fantaisie ont fait leur valise. Le grand thème cathodique, médiatique, et *magazinique* : le cul. Le sexe tout nu et *croustilleux* s'offre : ouvert, moite, lustré, dilaté, bandé, dilapidé ! Adieu fantasme, évocation, rêve et suggestion ! La bandaison minute est de mise, l'orgasme obligé, le plaisir forcé et « normé ». L'étalage de ces plates cochonneries finira-t-il par écœurer toute la planète de l'érotisme ?

Les enfants connaissent le nom des pièces anatomiques, mais la poésie a plié bagages. Les ados ne sont plus transis d'amour, ils s'offrent des *fuck friends*. Quant à leurs parents, ils connaissent les aspects cliniques du rapport sexuel mais semblent avoir oublié que le sens de l'intimité amoureuse réside dans le fait, pour un homme ou une femme, de désirer et d'être désiré. Est-ce pensable aujourd'hui de situer et de vivre ses besoins sexuels et affectifs à l'intérieur d'un projet personnel libre, joyeux, relationnel, qui donne du sens à la vie ? Où est passé le sens de la fête ? Où mène ce dérapage ?

De la naissance à la mort, d'un contexte culturel à l'autre, la sexualité est mouvante, évolutive, changeante… Heureusement ! C'est ce qui permet d'espérer. Elle se dit et se dédit, s'éclate, s'attriste ou se réjouit… Rarement neutre, soit elle enrichit, soit elle appauvrit. Éminemment politique, elle est porteuse de rétrécissement ou d'épanouissement. Notre savoir-faire, notre savoir-vivre et notre savoir-être, sexuellement et humainement, sont tributaires de la société organisée dans laquelle nous vivons et de la manière dont s'exerce le pouvoir dans cette société organisée. Charriés d'une dictature sexuelle à une autre, désenchantés, nous voici hantés par la peur du non-désir. Nous nous cramponnons au sexe comme au dernier bastion où l'on espère se sentir vivant, comme on s'accroche à une bouée de sauvetage, pour ne pas couler tout à fait. Pour maintenir à flot notre ardeur génitale, nous nous époumonons dans des diarrhées de mots, nous piaffons dans des déluges d'images, de films, de jeux et de jouets sexuels. La gymnastique génitale, pas plus que la sexualité dans son intégralité, n'est pourtant une fin en soi. La sexualité est une porte, une fenêtre, une voie d'accès à la personne, un tremplin vers une plénitude humaine. Elle contribue à mieux approuver et proclamer la vie, à donner du sens au partage et à la rencontre, à faire l'éloge de l'altérité.

Venons-en au vif de notre propos. Dans un premier mouvement, je tenterai de définir, d'examiner et de départager les matériaux, ingrédients et composantes de l'univers sexuel et érotique. Il suffit d'essayer de s'entendre avec son voisin sur une définition de la pornographie ou de l'érotisme pour comprendre la difficulté de cet exercice, indispensable pour se donner un horizon de sens commun. Puis, nous dévalerons la rivière du temps, depuis l'époque d'une sexualité tabou et calamité via la révolution sexuelle et sa prescription d'une sexualité panacée jusqu'au modèle sexuel utilitaire et tapageur qui prévaut aujourd'hui. Enfin, je rêverai tout haut d'un virage annonciateur d'un érotisme relationnel, d'une vraie révolution amoureuse, d'une sexualité signifiante et significative.

Parce que j'y pose tout haut des questions souvent enfantines, le livre que vous avez entre les mains est un livre ludique. Mais comme les questions enfantines sont toujours sérieuses, le livre que vous avez entre les mains est un livre sérieux.

PREMIÈRE PARTIE

ÉROS : MATÉRIAUX ET INGRÉDIENTS

J'ai toujours trouvé étrange que nos langues aient inventé l'idée de « rapports sexuels » pour désigner l'intimité corporelle. Tous les rapports, toutes les relations, tous les liens entre un homme et une femme, entre les hommes et entre les femmes sont nécessairement sexués et sexuels. Ils ne sont pas tous génitalisés, heureusement ou hélas !… chacun son avis.

On pourra être d'accord ou pas avec les propos de ce livre, on ne saura me reprocher de ne pas m'être efforcée de définir et de clarifier les concepts qui s'y déclinent. Un sujet si brûlant, si polémique, si chargé d'affects mérite que l'on se donne un langage commun, que l'on saisisse clairement, à défaut de les partager, les horizons de sens qui me sont chers.

Fait cocasse, les sciences de la vie et de la mort sont nées à peu près en même temps au Québec. En effet, la sexologie et la thanatologie sont des disciplines universitaires spécifiques apparues à la fin des années 1960 pour la première et à la fin des années 1970 pour la seconde. Éros et Thanatos sont entrés à l'Université du Québec, l'un après l'autre par la petite porte, peu de temps après le décès des grands prêtres du sexe, Kinsey (1894-1956) et Reich (1897-1957).

Dès le départ, la sexologie québécoise fondait la sexualité comme un lieu philosophique posant à l'être humain les questions de l'ouverture à l'autre, du sens de l'expérience et de la vie humaines. Elle annonçait ainsi une orientation *sexosophique* qu'elle tentera tant bien que mal de ne pas trahir malgré sa prétention à la scientificité toute contenue dans son appellation *sexologie*[5]. Ainsi se distinguera-t-elle promptement des courants médicaux, français et américain, largement préoccupés par les symptômes et traitements des mécanismes reproducteurs. Ce qui est de moins en moins vrai. Nous y reviendrons.

---

5. Une distinction entre sexologie et *sexosophie* est notamment suggérée par John Money, «Sexosophy: a new concept», *Journal of Sex Research*, n° 18, 1982, p. 364-367.

CHAPITRE 1

Le sexe, l'éros, la porno...

LA MALBOUFFE ÉROTIQUE

Ce projet d'écriture s'est d'abord appelé *La malbouffe érotique*, par analogie avec la malbouffe[6] alimentaire, ce *junk food* qui envahit autant les cantines scolaires que les établissements de restauration rapide et contre lequel luttent nos sociétés.

Le *fast food* sexuel, cette médiocre pitance commerciale, peut affecter la santé érotique et affective. Omniprésent, accessible et invasif, souvent gratuit, le temps de créer l'habitude, il est produit et distribué par des trusts *sexo-bourratifs* mondiaux.

Les deux ragoûts partagent moult caractéristiques communes : ils s'avalent dans l'intimité de son salon et peuvent y être livrés frais ou... défraîchis. Le plus clair du temps, on se sustente seul devant un écran. De plus en plus aussi, on jouit seul, les yeux bouillis par la télé ou l'ordi. Les ingrédients et assaisonnements qui composent ces pâtées sont prévisibles, leur goût est sans surprise. Il n'y a pas d'enchaînement des plats, d'alternance de saveurs, de crescendo doux-amer : on avale tout, d'un coup ! La malbouffe conduit à l'obésité corporelle, la malbouffe érotique mène à l'épaisseur érotique. Les jeunes composent une très large proportion des consommateurs, ce qui conduit nombre d'entre eux à des désordres alimentaires ou sexuels, à des dysfonctions digestives ou relationnelles d'abord

---

6. Mot créé en 1979 par Joël de Rosnay, repris et plus largement diffusé à compter de 1999. Source : *Le Grand Robert*, tome IV, p. 1086.

aiguës, ensuite chroniques. À tout âge, s'en gaver assidûment comporte des risques sérieux d'intoxication et peut déboucher sur des maladies nerveuses telles la boulimie ou l'anorexie. Les malbouffes ne laissent nulle place au talent culinaire, à la créativité et à la célébration ; ni l'une ni l'autre ne se soucie des saines combinaisons et harmonisations, nutritives ou érotiques.

On s'évertue depuis des années à nous éduquer, à contrer les fléaux engendrés par la malbouffe, à nous convaincre d'adopter de nouvelles habitudes alimentaires, à nous inciter à faire des choix éclairés en ce domaine. Il est grand temps d'initier une démarche semblable quant à la nourriture érotique, avant d'avoir complètement perdu le sens de la gustation. Nous n'avons jamais eu tant de possibilités de plaisirs en matière de volupté. Et pourtant, jamais nous n'avons été aussi primaires ! La boustifaille d'autrefois était très limitée : rareté de fruits et de légumes exotiques, peu de poissons ou de viandes fines. Nous n'avions guère de choix, mais les aliments étaient purs, savoureux, goûteux et jamais falsifiés. Toute une panoplie de vivres et de nutriments sexuels s'offre maintenant à nous. Une vraie manne ! Et on continue d'avaler n'importe quoi, *insexticides* compris. C'est insipide, ça ne transporte pas. Ça bourre et ça donne l'impression d'être replet et rassasié !

LA BEAUTÉ DE LA CHOSE, LA LAIDEUR DES MOTS

Vous avez noté, j'en suis certaine, l'habituelle laideur des mots sexuels. Des mots honteux comme des maladies, souvent truffés de *g* occlusifs et postpalataux, de *r* constrictifs comme des boas. Leur résonance et leur consonance glacent plus qu'elles n'échauffent et donnent l'impression que la personne qui les prononce s'est planté une arête dans la gorge ou a avalé un parapluie. Pis encore, si l'usager les prononce du bout de la langue, les mâchoires crispées et les fesses verrouillées sur une pièce de menue monnaie… Dans une phonétique aussi douce et harmonieuse que celle de la langue française, il est étrange que les mots de l'érotisme jaillissent souvent comme des fientes vénériennes ou des crachats assassins. Jetons un coup d'œil sur quelques-uns de ces mots à faire débander Priape…

- *Masturbation*… Mas-tur-ba-tion. Voilà un vocable dont la répugnante sonorité fait l'unanimité. Un timbre qui décourage à jamais de se câliner. Pas étonnant que le langage populaire lui ait trouvé de sympathiques et fières expressions substitutives dont la plus appréciée, utilisée et compensatoire est certes la douce branlette. Avouez que «se branler» est passablement plus musical, rythmique et symphonique que se mas-tur-ber!
- *Orgasme.* Même si la durée de l'expérience n'est surtout pas prolongeable à l'infini, ce mot résonne comme un poing d'orgue en pleine gueule! Certains Européens le prononcent à l'anglaise: *orgazme.* Effet assuré: on craint de se faire gazer!
- *Orgie, orgiaque.* Beurk! Ces substantifs m'ont toujours fait penser à l'orgelet et par extension à un fétichisme du chalazion pustuleux et purulent.
- *Vagin*… Je devais avoir 11 ans la première fois que ce mot s'est glissé dans mon oreille virginale. Dans la gauche, je m'en souviens. Le ver d'oreille nous fait chanter. Le vagin d'oreille m'a donné envie de vagir comme un crocodile (joli mot, crocodile, non?) ou comme une enfant désespérée. Jusque-là, comme la plupart de mes amies, j'ignorais l'existence même de ce tunnel mirifique.
- Son pendant – sans jeu de mots –, le *pénis,* est un mot bien plus joli. Quoique dans la bouche (le mot, pas l'organe!), il occupe le même espace que la «peine». Je comprends les enfants de l'appeler *rikiki*! Voilà un mot qui rit!
- Que dire de *cunnilingus* et de *fellation*? Sont-ce des activités perverses réservées à quelques vicieux polymorphes? Ou,

pire encore, des maladies incurables ? Ça ressemble à tout sauf à des câlineries.

• Les *pollutions nocturnes* réduisent l'arroseur et son arrosage spontané à une vulgaire équipe polluant-pollueur.

• Le mot *éjaculation* retentit comme une éructation nucléaire.

• Quant au *scrotum*, on tremble rien qu'à l'articuler et les enfants baragouinent *crotte homme* jusqu'à la puberté.

Passons sur la panoplie de noms effrayants attribués aux maux de l'amour. Des mots pour nous dégoûter à jamais de l'érotisme et de la sexualité. Par bonheur, il y a le gai clitoris[7], la vulve veloutée et le fiérot *zizipanpan* pour dérider un peu cette nomenclature ampoulée. Les êtres humains n'ont pas inventé en vain un vocabulaire parallèle, cochon, jovial, coloré, poétique et métaphorique. Concluons cet aparté avec le terme sexuel que j'abhorre entre tous, bien qu'il désigne une gestuelle intimiste des plus voluptueuses et savoureuses : le *coït*.

• *Coït…* J'exècre tant ce substantif que je l'ai rarement utilisé en 25 ans de carrière sexologique et toute une vie de pratique érotique ! *Co-ït* ? Un mot qui rime à « quoi » ? Qui s'apparie à l'impassible « coi » et s'apparente au « quoi » investigateur. Qui ressemble à « coin » et à « cogne ». Une sonorité qui met K.-O. la plus intime et la plus fondante caresse amoureuse. Ses synonymes n'offrent guère de prix de consolation. *Fornication* ? Pouah ! Ça sonne vite fait, mal fait et « camp de concentration ». *Accouplement* serait presque acceptable si le terme évoquait moins la monte animale.

---

7. L'origine du mot clitoris n'est pas claire. Il viendrait du grec et une source du IIe siècle suggère que le terme dérive du verbe *kleitoriazein*, qui signifie titiller de façon lascive en vue d'obtenir le plaisir. Tiré de Natalie Angier, *Femme ! De la biologie à la psychologie, la féminité dans tous ses états*, Paris, Robert Laffont, 1999.

Non, mais… vous rendez-vous compte ? Pour désigner l'étreinte intimiste par laquelle deux personnes sont plus proches que proches, pour nommer ce ballet érotique dans lequel les amants s'avancent l'un vers l'autre, s'ouvrent l'un à l'autre, se prennent, se reçoivent, s'investissent et s'envahissent, on n'a pas trouvé mieux que *coït* et *coïter* ! *Baisons*, alors ! C'est bien meilleur ! Il y a dans *baiser* une vitalité pulpeuse, de l'ardeur et une douce violence… *Faire l'amour,* c'est joli mais plus dilué me semble-t-il, et plus onctueux. Un peu flou aussi puisque tout échange de douceurs et de caresses est, d'une certaine manière, une façon de « faire l'amour » et d'aimer. Les enfants comprennent bien cela quand ils statuent qu'ils font l'amour en échangeant de naïfs bisous. Ils mêlent souvent aussi *s'embrasser* et *s'aimer*, mais nous reviendrons sur cette association dans un chapitre ultérieur.

Autant je hue et conspue le terme *coït*, autant j'applaudis le tango corporel et sensuel qu'il recouvre. Ce parcours de la distance à la proximité, de la séparation à la fusion, ces froissements d'épidermes, cette pénétration des regards précédant et annonçant la communion charnelle, ces yeux qui *coïtent*… Ahhhhhhhhhh !…….. Voir et sentir les sexes s'unifier en un pont de chair reliant les corps et les âmes, les univers et les cellules, les jouissances et les peurs… Comment a-t-on pu appeler *coït* ce sublime intermède fusionnel ?

Enfin, par-delà les terminologies, cliniques ou poétiques, par-delà les mots, beaux ou laids à notre oreille, par-delà les expériences, états, sentiments, affects et émotions tous confondus et confondants, qu'est-ce qui distingue la pulsion sexuelle de la passion érotique ? L'érotisme de la pornographie ? L'obscénité de l'esthétique ? Tombe-t-on en amour[8] ou en désir ?

---

8. Au Québec, on utilise invariablement l'expression « tomber amoureux » ou « tomber en amour ».

Y a-t-il adéquation entre un orgasme qui tape un 10 au sismo-graphe de l'*orgasmomètre* et la félicité érotique? Essayons d'y voir clair.

LA SEXUALITÉ : PRENDRE OU NE PAS PRENDRE SON PIED

Simplifions : la sexualité *est*. Elle est là, incontournable. Elle est le substrat de l'érotisme et de la pornographie, ces dérivés spé-cifiquement humains faisant appel à la conscience et au libre arbitre.

Le mot est apparu au XIXe siècle et recouvre une réalité mul-tiple imbriquée dans la totalité de l'être humain. Présente comme caractère essentiel et déterminant depuis la naissance jusqu'à la mort, la sexualité est une composante fondamentale de la personne, de l'existence, de la société. Elle prend naissance dans le monde biologique mais s'exprime et varie à l'infini à travers les cultures, les arts et l'histoire. Elle comprend l'iden-tité sexuelle et sexuée (sentiment intrapsychique d'apparte-nance au groupe de son sexe), les fonctions de maternité ou de paternité (réelles ou symboliques), les rôles sexuels que l'on adopte ou que l'on conteste et qui sont dévolus dans une société donnée, les stéréotypes sexuels culturels que l'on accueille, tolère ou condamne selon qu'ils correspondent à nos vues ou pas, l'expression de soi à travers l'érotisme, l'orientation sexuelle, le lien affectif, amoureux, sensuel, le partage de son intimité physique, les comportements auto-érotiques, l'univers fantasmatique, les activités sexuelles génitales…

La sexualité est intérieure et extérieure à l'individu. Le fait qu'ils soient des êtres humains sexués et sexuels, génitaux et érotiques imprègne et colore l'homme et la femme dans tou-tes leurs dimensions. Mais la sexualité est aussi une compo-sante devant laquelle la personne manifeste une ambivalence foncière. Au même titre que le bien-être physique, mental ou émotif, elle fait partie intégrante de la santé, du développement de la personne et de la qualité de vie, et elle se marie étroitement à l'affectivité et à l'intimité. Au départ, la sexualité n'est ni bonne ni mauvaise, elle « est ». Ensuite, elle enrichit ou elle appauvrit. Elle peut traduire l'amour, l'accueil, l'ouverture et la tendresse comme elle peut exprimer la haine, le rejet, l'aliénation et la violence. Il appartient à chacun de faire de sa sexualité une source d'épanouissement et de croissance plutôt qu'un lieu d'asservissement.

Féminité et masculinité sont des traits de nature et de culture. Tout n'est pas appris, tout n'est pas génétique. Tout n'est pas environnemental, tout n'est pas hormonal. Reconnaître qu'il existe une spécificité féminine et une spécificité masculine ne dissimule aucun jugement de valeur ni allégeance féministe ou machiste. Fortement tributaire de la culture, de l'environnement et de l'éducation, on a tendance pourtant à se jeter à bras raccourcis sur des explications biologiques quand besoin est de se conforter, de tromper, de se déresponsabiliser ou de se déculpabiliser. On dira alors que « l'incontrôlable pulsion » a fait agir ! Pfft… !

Force est de reconnaître que la sexualité est large, globale et englobante, panoramique, beaucoup plus vaste que la génitalité qu'elle contient et à laquelle on la confine habituellement. La physiologie de la réponse sexuelle ou de l'acte coïtal est une chose dont la compréhension clinique n'est pas négligeable, mais qui demeure bien fragmentaire et futile en comparaison du sens que revêt pour une femme ou pour un homme le fait de séduire, d'être choisi et de partager son intimité. C'est essentiellement la fonction génitale de la sexualité qui a été, au cours des récentes décennies, objet d'étude et d'observation. On a brandi les pénis et élargi les vagins sur la place publique, on les a mesurés, on a démonté leurs mécanismes et fonctionnements, on a exhibé leurs prouesses et leurs déconfitures. On les a hissés au statut de petits soldats, valeureux ou fragiles, en ignorant ou en feignant d'ignorer que la sexualité se nourrit surtout d'imaginaire, d'allégorie, de fantasmes, d'insaisissable, d'irrationnel, d'ambiance, de subjectivité, d'étonnement, de sens à vivre et... d'érotisme[9]. Le bonheur sexuel ne résulte pas d'appareillage et d'emboîtement génitaux fonctionnels. Il découle de l'assouvissement d'un besoin fondamental essentiellement psychologique. Et contrairement à ce qui est implicitement mis de l'avant partout, la sexualité en elle-même n'est pas une valeur en soi. L'amour est une valeur. Le plaisir aussi. Pas la sexualité.

L'ÉROTISME : PERDRE PIED

Plus insaisissable et plus impalpable que la sexualité, l'érotisme se laisse mal quantifier, objectiver, décortiquer. D'emblée, l'univers érotique s'éloigne de la biologie reproductive et du monde animal. Comme nous, les animaux sont sexués sexuels. Ils ne sont pas érotiques (comme plusieurs d'entre nous d'ailleurs !). Nous pouvons affirmer que l'espèce humaine est la seule à pouvoir transmuer le commerce sexuel en ferveurs et dévotions érotiques, à rechercher, à travers l'agir sexuel, une quête psychique indépendante de la fin reproductive.

Moins ancré donc dans le biologique que le « sexuel », l'érotisme sourd néanmoins dans l'être humain dès son arrivée dans le cycle de la vie. C'est un réflexe naturel du nouveau-né de repousser la douleur et d'aller vers le plaisir. Il sait d'instinct que l'expérience de plaisir associée à la tétée et à la chaleur humaine lui procure, par-delà la survie, le bien-être et l'essor de son organisme. Mais l'érotisme est surtout un fait de culture. Largement soumis à l'apprentissage, il épouse les préceptes, canons et modèles qui prévalent dans une société ou une culture

---

9. Claude Crépault, *L'imaginaire érotique et ses secrets*, Québec, Presses de l'Université du Québec, 1981.

donnée. L'érotique est un art réfléchi de l'amour, dit Foucault[10]. Il est aussi un art qui reflète, diffuse et réverbère l'amour. J'aime jongler avec les propos de Georges Bataille en posant que l'érotisme est une approbation de la vie jusqu'à la mort.

L'érotisme en Bataille

L'érotologue Georges Bataille postule que l'érotisme célèbre la vie «jusque dans la mort». Selon lui, la mort a le sens de continuité de l'être pour les mortels que nous sommes.

> Les êtres qui se reproduisent et les êtres reproduits sont distincts entre eux et chaque être est distinct de tous les autres : sa naissance, sa mort et les événements de sa vie peuvent avoir pour les autres un intérêt mais il est le SEUL intéressé directement[11].

Entre deux personnes, il y a un abîme qu'il appelle la discontinuité. C'est le vertige de cet abîme profond et fascinant que nous ressentons dans l'érotisme. La reproduction sexuelle ferait ainsi intervenir une sorte de passage de la discontinuité à la continuité : le spermatozoïde et l'ovule sont des êtres discontinus qui, en s'unissant, établissent une continuité. Mais cette continuité est possible par la dissolution, donc par la mort des êtres séparés que sont ces cellules sexuelles. Le nouvel être est donc discontinu, mais il porte en lui le message et le passage à la continuité.

Simplifions… Bataille propose que l'érotisme met toujours en scène : a) un acharnement à remplacer l'isolement et la discontinuité par une volonté et un mouvement de continuité profonde et b) une violence élémentaire, nécessaire à l'arrache-

10. Michel Foucault, *Histoire de la sexualité II. L'usage des plaisirs*, Paris, Gallimard, 1984.
11. Georges Bataille, *L'érotisme*, Paris, Les Éditions de Minuit, 1957.

ment de l'être à la discontinuité. L'impétuosité des mouvements de l'érotisme serait une sorte de lutte contre la mort obligée. Le plus violent pour l'être humain étant toujours la mort qui arrache à l'obstination de durer, le cœur ne vous manque-t-il pas à l'idée que le merveilleux individu que vous êtes va soudain, un jour, être anéanti ? Toute la mise en œuvre érotique a pour fin d'atteindre l'être au plus intime, au point où le cœur flanche, de le mener à la dissolution…

Ainsi, c'est parce qu'Orphée nous aura tous, sans exception, que nous recherchons la fusion érotique. La mort, inéluctable, force à concevoir un rêve d'éternité : la pleine fusion et confusion entre deux personnes, la continuité de deux êtres discontinus, la délivrance. Bref, la passion érotique est une recherche de l'impossible. Et la beauté de tout cela, c'est qu'il y a dans cette apparente absurdité une vérité de miracle qui n'est pas illusoire : l'amour. Il y a dans l'érotisme une réelle unité, un authentique refus de repli sur soi. L'érotisme est une fenêtre sur la mort qui ouvre à la négation de la durée individuelle. Bon. Assez bataillé avec Bataille. Si vous n'avez pas apprécié, tant pis. L'important étant que vous ayez senti. Ou trouvé ça beau.

Éloignons-nous de la vision érotique « batailleuse », tout compte fait assez masculine (la symbolique du passage dans la mort étant la jouissance masculine), pour évoquer un érotisme dimorphique à la manière Bruckner & Finkielkraut[12]. Selon ces auteurs, la femme « sombre » – ne serait-il pas plus juste de dire qu'elle culmine ? –, avec sa jouissance, dans l'excès bien plus que dans la mort, grande ou petite. Elle atteindrait un lointain sommet, cette étoile inaccessible à Brel puisque non accessible à la gent masculine et que Brel était, tout splendide fut-il, splendidement masculin et misogyne !

_____

12. Pascal Bruckner et Alain Finkielkraut, *Le nouveau désordre amoureux*, Paris, Seuil, 1977.

Chez la femme, les forces ne fuient pas avec l'orgasme ; l'excitation ne tombe pas à plat. Sa jouissance se poursuit, s'élève ou ne fait que commencer là où celle de l'homme s'éteint. Il fait l'amour pour soulager et supprimer son désir ; elle fait l'amour pour éveiller et habiter pleinement le sien. D'une certaine façon, jamais elle n'a joui, car elle est toujours «jouissante». Elle est inépuisable et lui, épuisé, la juge bien épuisante… Peu importe à Bruckner et Finkielkraut, et je partage cet avis, la typologie des orgasmes féminins et la localisation exacte des sources de plaisir. Les prolifiques auteurs philosophent si bien à propos du corps féminin qu'on croirait qu'ils y logent et on se surprend à souhaiter… qu'ils s'y lovent. Que leurs lectrices qui n'ont pas fantasmé les avoir, l'un ou l'autre – ou pourquoi pas les deux ? – comme amant «circulant partout en elle» lèvent la main !

L'érotisme n'a qu'une finalité : célébrer. Il est sans succès ou échec. Il serait d'ailleurs impossible de parler réussite et déboire à l'égard d'une sexualité qui ne serait pas gouvernée par une logique de performance. En se dissociant de l'exploit sexuel et de la visée procréative, en s'associant à l'ensemble des émotions corporelles et subjectives agréables pouvant inclure, sans s'y limiter, la volupté sexuelle génitale, l'érotisme se distingue de la sexualité. Dans cet esprit, à moins d'être gravement atteint dans son intégrité physique et psychique et inapte à éprouver les plaisirs, sensoriels, sensuels ou fantasmatiques, chacun a sa vitalité érotique propre.

En conséquence, disposition érotique et intérêt à la vie, pour la vie, pour ce qui vit, veut vivre et se prolonger sont étroitement liés.

Les nutriments de l'érotisme

Sensibilité, mouvement, relation, distance et imaginaire constituent les ingrédients premiers de l'érotisme. À l'intérieur du processus érotique, ces matériaux engendrent le plaisir et s'y combinent d'une manière plus harmonieuse que dans l'amour ingénu ou dans la recherche de sexe brut. La ferveur érotique se traduit par le désir et l'art d'habiter ce désir tout en se laissant habiter par lui sans se presser pour l'éliminer, l'érogénéisation corporelle, la progression et la modulation de l'excitation, le débondement orgasmique, la satisfaction érotique. Fantaisies, communication et relation sont des contextes favorables à l'envahissement érotique alors qu'atmosphère, esthétique et parfums font figure de déclencheurs.

C'est au prix de la distance que se renouvelle le désir. Distance qui donne lieu à la méditation sensuelle et aux projections fantasmatiques qui raniment séduction et fascination. Tout au long de la trajectoire érotique, l'imaginaire joue un rôle à deux niveaux. D'abord mécanisme facilitateur, il se transforme en ingrédient du vécu sexuel. Non seulement le fantasme peut inférer le passage à l'acte, mais, s'il est intériorisé, il peut en tenir lieu. C'est donc dire que l'érotisme peut être chaste. L'érotisme est essentiellement distance et symbolisation. Bataille, dont nous avons parlé plus haut, posait l'interdit comme substance constitutive de l'érotisme. Interdit qui fait pauvre figure dans la représentation actuelle que l'on s'en fait. Nous y reviendrons dans la troisième partie de cet ouvrage.

Ma lorgnette érotique

L'érotisme est un talent. C'est la faculté de décoder, d'iriser, de transformer un geste, un mouvement ou un état sans signification sexuelle explicite en motif de plaisir sensuel ou sexuel. Sibylline, je dirais que l'érotisme est une sorte de quintessence de l'existence, de laquelle dérive le sens de la fête, le goût de célébrer et d'exalter le plaisir. Si les dispositions érotiques s'acquièrent, certaines personnes semblent prédisposées ou «naturellement» douées pour syntoniser cette chaîne d'énergie et la canaliser dans le rapprochement à l'autre et le rapport à la vie.

Bien que je réfute l'idée d'un érotisme confortable et tranquille, je soutiens qu'il n'a rien à voir avec les petits guides de la baisote en 69 positions inconfortables. Même dans le cadre du couple stable et « attaché[13] », l'érotisme « advient » et subsiste dans la mesure où l'on continue d'éprouver des moments de dérangement. Il survit à la condition expresse de ne jamais se laisser bouffer par quelque certitude et prévision triviales : c'est dans la mesure où je suis ébranlée que je suis proche de la vie et tendue vers elle, vers l'autre, réel ou imaginaire. N'est-ce pas l'attrait pour l'autre qui fait naître l'étonnement, suscite l'émerveillement, le trouble, la peur parfois et qui fait se sentir si pleinement vivant ? S'érotiser, c'est s'émouvoir, se laisser impressionner comme un enfant, c'est être dans le moment présent, c'est vivre et refuser la mort, « c'est ce qui révèle notre manière de chercher le bonheur et de jouer à vivre[14] ».

La magie érotique a un sens plus profond, plus métaphysique que la tonitruante détente génitale. Dans cette dernière, le spasme orgasmique occupe toute la place, comme un détail obèse, autistique. Dans la plénitude érotique, l'orgasme participe d'un état : une douce ou fulgurante défaillance le long d'un parcours sans fin. Georges Bataille[15] rapprochait transport érotique et mysticisme. S'il est indéniable que ces deux expériences sont personnelles et singulières, l'éros rapproche les êtres humains et naît de l'attirance et du goût de rencontrer et de fusionner cependant que la transe mystique coupe la personne d'autrui. À ce compte-là, béatitude mystique et pornographie supporteraient la comparaison : l'une et l'autre séparent. L'érotisme, lui, réunit.

---

13. Au sens *cyrulnikien*, lorsque l'attachement s'installe, l'éros fout le camp.
14. Boris Cyrulnik, *op. cit.*
15. Georges Bataille, *Death and Sexuality. A study of eroticism and taboo*, Éd. Walker, 1962.

Une dernière chose : Éros est chronophage ! Il aime s'étirer, il se plaît dans l'attente et la durée. Nous ? Pas trop… À preuve, le succès grandissant de la pornographie.

LA PORNOGRAPHIE : BAISER COMME UN PIED

En général, les scènes incongrues des films pornos me font mourir de rire bien plus que de désir. Allez… On se fait un petit porno classique, d'accord ? C'est moi qui invite.

Dans un laboratoire de recherche glacial et aseptisé, une scientifique à lunettes et à chignon, tout de blanc vêtue, observe des petits rats… À chacun de ses mouvements, son sarrau immaculé s'ouvre sur deux montgolfières de chair et de solution saline qui ne risquent pas de s'envoler. De toute évidence, la docte chercheuse a d'autres chats à fouetter que de recoudre les boutons manquants à sa blouse de travail ! Autour d'elle, trois austères collègues s'affairent : ils observent et annotent les comportements des bestioles qui, naturellement, ne cessent de faire « tac-tac ». Visiblement émoustillée par ces scènes d'accouplements compulsifs, la zoophile lèche et pourlèche ses méga babines botoxées. À chaque petit coup de rein d'un petit rat, elle salive et se tortille au milieu de ses imperturbables confrères.

Mon Dieu ! Elle ne va quand même pas mettre une souris dans sa culotte ! Mais non, son string est trop étroit. (Ouf ! Mais sait-on jamais ce que la pornographie peut faire faire aux femmes ?) La voilà prise d'une envie absolument incontrôlable, une véritable rage de renifler la baguette du plus stoïque de ses collaborateurs. Comme une hystérique sevrée précocement, la furibonde se jette sur l'entrejambe soumis et satisfait illico sa rage névrotique de sucer la bite inconnue… Les envieux comparses assistent activement au spectacle : ils se branlent vigoureusement d'une main et fouillent de l'autre tous les orifices féminins. Puis, à l'unisson, le trio viril se retire de partout pour se regarder, que dis-je, pour se contempler éjaculer, qui dans l'oreille, qui dans le chignon, qui dans les lunettes de la juvénile savante. Enfin! Voilà des hommes qui s'y connaissent en orgasme simultané! Ainsi signée, paraphée, ointe, l'érudite pousse un éblouissant cri primal orgasmique. Une jouissance si convaincante qu'on est persuadé que les muqueuses orales de cette fille sont une tapisserie de clitoris...

À la fin d'un film porno, remarquent Bruckner et Finkielkraut[16], on ignore à quoi rêvent les jeunes filles, mais on sait fort bien à quoi les hommes veulent leur imposer de rêver : à leur Queue. C'est moi qui mets le grand Q. Allez donc savoir pourquoi la porno accorde tant d'importance au taillage de pipe et pourquoi les fillettes d'aujourd'hui ambitionnent d'être d'habiles pipeuses au vagin sec...

L'érotisme, dont le propre est d'exalter la jouissance dans le temps et de cheminer vers l'extase par des chemins indirects, est hostile à la mécanique sexuelle. À l'inverse, la pornographie propose d'accéder au soulagement dans le moment même, à l'endroit même où le désir a surgi. Le laïus pornographique (et parfois sexologique) fait de l'orgasme une secousse rapide et bénie et transmet une vision morcelée de l'érotisme.

L'homme semble doué d'une sexualité plus spatiale : stimulé en grande partie par la vue, il veut atteindre le plaisir dans le moment même, à l'endroit même où le désir a surgi. La femme par contre paraît animée par une sexualité plus temporelle : elle aime l'attente, le délai, la durée[17].

16. P. Bruckner et A. Finkielkraut, *op. cit.*
17. Georges Abraham, *Psychiatrie pluri-dimensionnelle*, Paris, Payot, 1979.

Mais la femme aime-t-elle autant l'attente ? À l'occasion, certes, mais toujours… ? Son érotisme est-il en voie de se transformer, de calquer le modèle masculin ? Ou s'amuse-t-elle à feindre de le plagier ? A-t-elle simplement canalisé son érotisme diffus et sa sensualité corporelle intégrale dans sa zone génitale ? Il faudrait le lui demander.

La pornographie au féminin

En 2001, le film *Bad Girl* (de Marielle Nitoslawska) donnait la parole à une dizaine de productrices et réalisatrices de pornographie néo-féministe. Heu… enfin, une porno enrobée de ce genre de discours. Constat : la Danoise refuse de montrer des femmes traînées par les cheveux, le visage tartiné de sperme ; l'Américaine se vante de faire de la porno dure (double pénétration et tout le tra la la) mais détesterait que ses filles adolescentes voient ça ; quant aux Françaises *(Baise-moi)*, elles semblent revendiquer leur soif de vengeance sur les hommes «qui vont en chier». Pour certaines, l'investissement des femmes dans la porno est vu comme un repositionnement du féminisme. N'empêche… Au-delà du laïus, la femme y est bien plus souvent instrument de désir et de plaisir au service de l'autre qu'objet et sujet de son propre désir.

En excluant la porno *snuff* (du *slang* américain signifiant littéralement «massacrer») mettant en scène des meurtres, du dépeçage de corps parfois réel, je pense qu'il faut dédramatiser «les» pornographies entre adultes consentants. C'est quand même aberrant qu'un film comme *Hannibal* ait été porté aux nues alors que *Baise-moi* a été censuré en France. Cela a beau être «tendance» et chic, du moins dans certains milieux, de s'adonner à la porno, j'ai personnellement trouvé ces deux productions aussi insupportables l'une que l'autre.

Il est encore quelques pornocrates pour nous jouer le coup de la portée «éducative» de leurs produits ! Que voilà une éducation sexuelle mortuaire et mortifère. Pour déprimer tout en s'excitant, rien de mieux qu'un porno ! J'ai fait le test : si je suis joyeuse, que je me sens très vivante, pétillante et chargée à bloc érotiquement, un « bon » porno est un infaillible éteignoir. Cela vaut, me semble-t-il, pour nombre d'hommes également. Voilà bien le paradoxe pornographique : déprimer en excitant efficacement. L'efficacité du produit X réside dans ces morceaux de chair lustrée, ces seins arrogants, ces mamelons effrontés, ces queues impertinentes, ces chattes brillantinées, ces pompes, culs, pistons et orifices, bref, toute cette tumescence et détumescence, toute cette concavité et convexité qui déclenchent instantanément une décharge d'adrénaline. L'ennui, puis l'écœurement et l'abrutissement suivent. Facile de prendre son pied vite fait, le *dildo* (jouet sexuel de forme phallique) plein le vagin et le vibromasseur galvanisant le clito. Mais emballant ?

La saynète pornographique montre des mâles et des femelles insatiables de sexe, sans autre intérêt existentiel que, pour la femme, d'offrir ses orifices et pour l'homme de les remplir et de s'en retirer invariablement au moment de l'éjaculation. La signature éjaculatoire sur le corps de la femme tient lieu de griffe sur une marchandise. L'encre blanche, visiblement giclée sur le corps, constitue une marque distinctive de la pornographie.

Cela dit, me font sourire les levers de boucliers anti-porno la taxant d'animalité. En boudinant l'être humain comme un saucisson qu'elle découpe en rondelles génitales, la pornographie est certes limitative et mécanicienne. Elle se démarque de l'érotisme et de l'amour par le peu de place qu'elle laisse à l'imaginaire, mais les trois partagent le dénominateur commun d'être des constructions typiquement humaines. Le matériel porno expose crûment, parfois joliment et esthétiquement, la mécanique, la performance génitale, l'ajustement de pièces anatomiques et, immanquablement, le sceau du pouvoir : l'estampe spermatique. Il offre l'action et l'interaction d'individusobjets, désertés de leurs composantes identitaires et relationnelles. Il n'est pas sans potentiel érotisant : certains de ses produits titillent et font naître mon excitation sans jamais me transporter.

La pornographie est rassurante. En renvoyant à l'aiguillage bien minuté, à la maîtrise, au déroulement prévu et prévisible, elle ne menace pas de faire défaillir, basculer ou perdre pied. L'érotisme appelle l'abandon, ébranle le contrôle, s'installe dans l'imprévu et l'imprévisible. Côté porno, c'est le versant choquant mais connu et réglé de la sexualité-génitalité : de l'amphétamine combinée à un puissant barbiturique ! C'est l'utilisation bien rodée que l'on fait de son vibrateur, de son masturbateur de voyage[18] ou de son amant. Sur l'autre versant, il y a l'étonnement, la fascination, le bouleversement et la perte de contrôle.

La pornographie, convenons-en, peut exciter les femmes. Ce qu'il faut comprendre une fois pour toutes, c'est que l'excitation génitale et physiologique révèle peu de chose sur l'intensité et sur la motivation du désir. De nombreuses recherches cliniques ont montré que les organes sexuels féminins mouillent et se congestionnent vigoureusement à la vue de scènes pornographiques que les femmes pourront qualifier ensuite de ridicules et franchement pas excitantes. Mentent-elles ? Non. Les femmes, comme les hommes, peuvent être génitalement stimulées par la banalité et la stupidité, cette réaction ne signifiant nullement qu'elles jugent le propos globalement alléchant, émouvant ou transcendant.

Enfin, la pudeur, sauf quand elle est fausse, est totalement absente de la trame pornographique. Cette vertu, elle aussi spécifiquement humaine, peut intervenir, avec l'intelligence, la suspension, l'interdit, la pause, la suggestion, la conscience et la sensibilité, sur le trajet érotique. Les êtres humains ne sont

---

18. Jouet sexuel pour hommes vendu dans les boutiques érotiques. L'homme y insère son pénis et se laisse, littéralement, traire.

pas, comme les animaux, parfaitement impudiques. À moins d'être gravement perturbé, on ne s'accouple pas, on ne se masturbe pas, on ne défèque pas au vu et au su de tous. Qu'est-ce que la pudeur sexuelle sinon une sorte de barrage ? Une digue, une réserve, une retenue. La pudeur sert à contenir pour un temps, à réserver et à préserver le flot libidinal. Évidemment, on ne peut faire preuve de retenue s'il n'y a rien à retenir !

> La notion de réserve exprime bien l'espace réservé et le stock d'énergie ou de désirs qui est toujours là : les femmes disposent d'une réserve naturelle dont sont dépourvus les hommes. Le désir illimité est une réserve inépuisable [...] quand l'homme lui s'épuise si vite[19].

La pudeur n'enlève rien au désir. Bien au contraire, elle le contient, le porte, le gonfle comme une attente, comme une grossesse...

Les êtres humains vivent longtemps. Contrairement aux espèces à vie brève, ils ont bien des occasions d'expérimenter et de vivre des amours, tocades, *trips* sexuels, idylles, engagements. Il est fréquent maintenant d'entendre des hommes et des femmes parler qui de leur ancienne vie conjugale, qui de leur décennie avec Untel, qui de leur troisième mariage... De surcroît, les êtres humains peuvent se passer de sexe pendant des semaines, des mois, des années et même des décennies, tout comme ils peuvent être sexuellement actifs du début à la fin de leurs jours. Pour l'espèce humaine, tout le cycle de la vie est une vaste saison des amours. Dans son remarquable ouvrage, Natalie Angier[20] observe que le corollaire de la longévité réside dans la complexité amoureuse et dans la richesse émotionnelle. Toute la beauté de la relation et de

---

19. Alain Etchegoyen, *Éloge de la féminité*, Paris, Arléa, Seuil, 1997.
20. Natalie Angier, *op. cit.*

l'interaction humaines niche dans ce formidable amalgame d'émotions et de raison qui nous caractérise. L'émotion n'est pas une marque ou un prédicat de gringalet. La raison n'est pas le *nec plus ultra* de l'évolution ou le panache de la personne dominante. « Plus un animal est intelligent, plus ses passions sont profondes. Plus l'intelligence s'accroît, plus on exige de l'émotion, cette valise de l'information si riche de contenu. » Sans émotions, jamais l'intelligence ne brille de tous ses feux.

CHAPITRE 2

Du sentiment et de l'attrait

L'AMOUR SI AIMABLE

L'amour, c'est plus que de l'affection saupoudrée sur le désir sexuel. C'est une participation et un investissement de l'être tout entier, corps, cœur et âme. Le couple amoureux devient une entité indépendante de la somme des deux parties. L'amour est plus grand que les personnes qui l'éprouvent.

Amour et érotisme poursuivent une fin commune : libérer le plaisir, livrer du bonheur, gratifier. Pour certains et surtout pour certaines, le premier cautionne le second. Ainsi, sans être un constituant de la sexualité, l'amour représente une valeur qu'on y rattache pour la valoriser et l'ennoblir. Ce qui n'empêche pas la sexualité, librement consommée sans aromates amoureux, d'être un mets qui se laisse goûter...

Allons donc définir l'amour ! Selon *Le Grand Robert*, « c'est une disposition favorable de l'affectivité et de la volonté à l'égard de ce qui est senti ou reconnu comme bon, comme objet de désir ou comme susceptible de satisfaire un besoin affectif... » Retenons de cette large définition l'addition de l'affectivité et de la volonté, le mariage des émotions et de la raison qui laisse présumer que la conscience amoureuse naît de la communion des cerveaux émotionnel et rationnel[21].

---

21. À l'émission *Découverte* de Radio-Canada, j'entendais récemment l'éminent neurologue Antonio Damasio dire en substance qu'on ne pouvait être pleinement conscient sans l'interaction de la raison et des émotions.

C'est le couple, bien plus que l'individu, la famille ou le groupe, qui constitue le canal privilégié, la locomotive de l'amour. Ce sentiment immense, convoité et tant glorifié, répercute l'attachement, la tendresse, l'admiration, l'engagement, la solidarité, la complicité... Il pousse à créer des liens solides, à partager l'intimité. À tout âge, un puissant désir érotique se confond aisément avec l'état amoureux. Candide, je dirais que l'on commence à aimer quand l'autre prend, à nos yeux, un caractère d'unicité.

Quand j'ai le sentiment que mon amant chavire et s'émeut de me câliner, je me sens désirée et désirable. Quand j'ai le sentiment qu'il caresse mon cœur lorsqu'il embrasse ma peau, je me sens aimée. Si j'éprouve ces deux émotions en stéréophonie, je suis dans l'état magnifié par André Breton[22] qui, pour libérer la conscience amoureuse, soude indissolublement érotisme et amour. Pour lui, c'est en tant que phénomène de conscience que l'amour a des effets directs sur la chair, « comme s'il était intérieur aux appétits organiques ». Il fustige l'érotisme à froid, suggère qu'il n'y a que l'amour qui puisse éterniser le désir.

Mais l'amour est une vérité toute subjective, une création de l'esprit. À un très haut et impossible niveau d'objectivité, on ne peut dire ni « je l'aime » ni « je le hais ». Le seul, le très grand amour est l'amour imaginaire, celui après lequel on court toute sa vie. Dans cet esprit, l'alliance érotique et amoureuse m'apparaît qualitativement proportionnelle à la capacité d'investir l'être aimé et la relation à cette personne[23] sur le plan de l'imaginaire. Aucun lien érotique ou amoureux ne peut exister et durer sans la participation de l'imaginaire.

---

22. André Breton, *L'amour fou*, Paris, Gallimard, 1937.
23. Dans un couple intervient donc une troisième personne que j'appelle la personne psychologique du couple. Cette entité relationnelle a sa vie propre ; elle doit être investie, nourrie et exaltée autant que les partenaires qui lui ont donné vie.

L'amoureux est un artiste qui ne peut plus se passer de son modèle, un artiste qui se réjouit tant de son œuvre (imaginaire) qu'il veut conserver la matière (l'objet d'amour) qui l'a engendrée… L'œuvre, quand elle a pris naissance, acquiert sa vie propre, une vie qui est du domaine de l'imaginaire […] qui ne vieillit pas, une vie en dehors du temps[24]…

L'amour ne se tarit jamais. C'est la personne aimante, le véhicule de l'amour qui a des ratés, qui s'use ou met le cap vers une nouvelle destination. Nous sommes des contenants de l'amour, limités et mesurables. Nos capacités d'amour peuvent s'écluser, mais l'amour est l'eau de la rivière qui circule en nous, toujours changeante, renouvelée, illimitée. Si l'amour se tarissait, on ne le transposerait pas inlassablement d'un bien-aimé à l'autre. Si intarissable soit-il, l'amour a soif d'imaginaire et, si assoiffé d'imaginaire qu'il puisse être, il n'est pas une fiction. Hélas, pour de nombreux jeunes que j'ai côtoyés depuis une vingtaine d'années, il est devenu un fantasme. Quantité de femmes et d'hommes adultes classent les «scénarios amoureux» au sommet de leurs rêves érotiques éveillés comme si l'histoire d'amour était désormais chimérique, ne pouvait plus s'écrire sur les pages de l'existence réelle.

Ce n'est pas l'amour qui se raréfie, mais notre capacité de le syntoniser et de nous y arc-bouter. On attend l'amour benoîtement, immobile, dans sa bulle, plutôt que de le convoquer, de l'inviter, d'aller à sa rencontre, de l'attirer à soi. Parfois, il se pointe et au lieu de l'agripper, de se l'approprier, d'entrer dans la parade amoureuse, on le regarde passer, figé comme un spectateur victime d'une attaque hypocoristique, d'une crise d'immaturité… On attend l'amour. Souvent longtemps. Un peu comme on attend le Tour de France ou le défilé du père Noël. Puis, le voilà qui passe, vite, pressé d'être cueilli. Si nos réflexes

---

24. Henri Laborit, *Éloge de la fuite,* Paris, Robert Laffont, 1976.

ne sont pas assez aiguisés pour le saisir et le dorloter, il passe tout droit. C'est à nous de le reconnaître. De le héler. Pour fleurir, le sentiment amoureux a besoin d'adjoints solides et égalitaires : l'amitié, le respect et l'admiration réciproques. L'admiration surtout. L'amour et le désir s'essoufflent précipitamment en absence d'admiration. L'itinéraire amoureux entraîne les amants derrière le miroir, plus loin que le reflet, vers le vrai. Dans cet espace intime qui leur est exclusivement réservé, ils apprennent à cheminer côte à côte sans cesser de chérir le corps et d'honorer l'âme de l'autre. Ce n'est pas soi-même que l'amoureux cherche dans l'autre, c'est le vrai et le différent, la parenté d'émerveillement.

L'amour parfume une longue traversée de toutes les couleurs. Le désir convie à une petite promenade rafraîchissante.

LE DÉSIR SI DÉSIRABLE

Primo : qu'on cesse de me tympaniser avec la présomption biologique décrétant que le désir n'est qu'hormonal, hypothèse justifiant toutes les aberrations et les pires niaiseries, souffrances, pertes de temps et manques à jouir. Les apôtres du biologisme attribuent abusivement les différences entre les sexes à l'influence d'hormones sexuelles sur le cerveau au cours de son développement. Ils extrapolent prestement de la bête à l'être humain !

Oui, il existe une relation entre le désir sexuel et les hormones, mais chez l'être humain, celui-ci n'étant plus tout à fait une bête (quoique parfois…), elle est bien dérisoire comparée aux normes, à l'espoir, à l'éducation, à l'investissement fantasmatique, aux sentiments et à un million d'autres facteurs d'influence. À preuve, tous ces jeunes hommes incapables de réponse sexuelle « normale » sans consommer porno, ecstasy ou autres substances malgré un taux hormonal au plafond. En témoignent aussi ces sexa, septua et parfois octogénaires dont le taux de testostérone indique −1 sur une échelle de 10, aux prises avec une libido débridée depuis qu'ils ou elles ont ouvert les vannes de la folie, du sens de la fête, du goût de vivre et de s'éclater ! Avec son autorisation, voici le contenu intégral d'une lettre que m'a envoyée une mémé *full* sexuelle il y a quelques mois. Un témoignage qui se passe de commentaire.

L'âge du désir

J'ai 78 ans et je suis veuve depuis un an. Jusqu'à deux ans avant sa mort à 85 ans, j'ai eu avec mon mari une vie sexuelle très active. Les deux dernières années, il n'arrivait plus à me contenter par la pénétration. J'en avais alors parlé à une de mes filles qui est très ouverte sur la chose et elle m'avait conseillé de me satisfaire moi-même. J'essayai et ça allait. Je faisais cela quand nous avions des rapports qui n'aboutissaient pas à mon goût.

Depuis que je suis seule, j'ai terriblement envie d'avoir des relations sexuelles. À tel point que mon clitoris fait un genre de « toc-toc », comme un cœur qui bat, pendant environ une semaine chaque mois. Ça me dérange beaucoup et je voudrais que ça arrête. Comment voulez-vous que je parle de cela sans passer pour une vieille folle ? Je n'ose aborder le sujet avec mon médecin de famille, car je crois qu'il ne comprendrait rien et qu'il me jugerait. C'est pour ça que je prends mon courage à deux mains, sur la recommandation de ma fille, pour vous écrire…

Je ne dois pas être normale. Il faut dire que la première année de notre mariage, nous avions des relations sexuelles trois à quatre fois par jour, sept jours par semaine. Après, cela diminua. Mon mari était un homme chaud et moi je ne demandais pas mieux… Il ne m'a jamais obligée. Une chance que je ne partais pas enceinte facilement ; je n'ai eu que cinq enfants. Vers l'âge de 40 ans, j'ai demandé conseil à mon médecin pour diminuer mon appétit sexuel. Il a semblé découragé et m'a dit de me changer les idées et que ça passerait en vieillissant. J'avais honte et j'étais inquiète parce que ça ne diminuait pas. Je me

rappelle une fois où mon mari s'est absenté plusieurs jours. J'avais
tellement besoin que j'avais mal au ventre. Plus jeune, chaque fois
qu'on faisait l'amour, j'avais trois ou quatre orgasmes (sans savoir
que ça s'appelait ainsi). Vers la fin de sa vie, on le faisait encore
presque chaque jour. C'était bon… même si je ne jouissais plus
chaque fois.

Je n'ai jamais eu de relations sexuelles avec personne d'autre
que mon mari. J'en ai jamais eu envie. Lui et moi, nous étions
faits pour aller ensemble sur tous les plans et maintenant, je suis
bien seule. J'ai vraiment besoin de votre aide. J'avoue que j'ai envie
de sexe avec un homme mais je ne veux pas d'un mari. Que faire ?
Je ne vais quand même pas passer une annonce dans le jour-
nal : « Arrière-grand-mère cherche fuck friend, pour parler comme
les jeunes. »

Rosa

Ma réponse fut laconique. Trois mots : « Et pourquoi pas ? »
J'ai eu de ses nouvelles récemment. Elle a un compagnon, de
lit et d'autres menus et grands plaisirs. Elle est comblée. Lui
aussi, j'en suis certaine.

Nos envies et conduites sexuelles, tout comme notre physiologie reproductrice, se sont émancipées de la poigne de fer
hormonale. Pourtant, diront certains, des femmes qui tentent de
vérifier le lien entre le pic œstrogénique qui survient au moment
de l'ovulation (donc au milieu du cycle) et la qualité de leurs
orgasmes constatent souvent une corrélation. Cela n'est pas très
concluant puisque d'autres qui prennent un contraceptif blo-
quant l'ovulation ou induisant un flux hormonal constant font
la même observation ! D'autres études révèlent plutôt que c'est
juste avant les règles que le désir et la satisfaction sexuelle
atteignent un sommet en raison d'une probable congestion
génitale. Les unes affirment ressentir une jouissance plus
intense lorsqu'elles sont amoureuses de leur partenaire alors

que les autres prétendent éprouver des difficultés orgasmiques quand elles aiment profondément. Allez donc y comprendre quelque chose !

Louise, ménopausée depuis cinq ans, me confie que son plaisir est décuplé à mi-parcours mensuel comme si elle avait toujours un cycle menstruel. Elle a le sentiment que sa jouissance est plus forte au moment d'une allégorique ovulation. Mais Louise est très amoureuse. Sur tous les plans, elle vit une relation extrêmement féconde avec son homme, sauf, évidemment, sur le plan de la fertilité physiologique. Aurait-elle désiré un enfant de cet homme si elle l'avait connu plus tôt ? Se pourrait-il que son corps se souvienne, dans la fusion érotique, de sa fécondité physiologique passée ? Au point de l'imprimer dans son plaisir ?

Si les biologistes considèrent le désir et l'amour comme des états physiologiques qu'ils essaient de contenir dans des paramètres objectifs, j'estime que ces «ressentis» sont des états et des sentiments éminemment subjectifs. N'est-il pas simpliste de réduire le désir à une insignifiante bouffée hormonale ? Simpliste et commode. Vous connaissez la rengaine : «Les hommes désirent plus, trompent plus, agressent plus, blessent plus, tuent plus, etc., à cause de leurs hormones… » De là à leur pardonner viol, agression, pédophilie en raison de cette envahissante charge hormonale, pour certains, il n'y a qu'un pas…

Hormones et désir

Du côté des femmes, cela ne vaut guère mieux ! Comme on ignore à peu près tout du désir féminin, on le restreint à une imprégnation de sécrétions ovariennes. Mais écoutons l'histoire de Danièle.

À 38 ans, sans avertissement, j'ai subi une hystérectomie avec abla-
tion des ovaires. La totale, quoi ! Je me suis endormie sur une table

d'opération pour subir une intervention mineure et me suis réveillée ménopausée chirurgicalement. J'ai eu le sentiment, profond, de faire un saut de 15 ans en avant, de m'endormir à 38 ans et de me réveiller à 53. Une enjambée pour laquelle je n'étais pas préparée. La guérison physique se fit normalement. La guérison symbolique et identitaire tardait. Je me sentais désintégrée, fracturée dans ma féminité, éclatée dans mon identité sexuelle. Mon désir est passé de la cime à l'abîme. Je prenais des hormones de remplacement, mal dosées, et je grossissais… Comble, j'étais dans un nouveau couple et nous venions de nous mettre en ménage.

Je me suis trimballée de gynécologues en endocrinologues; j'ai vu les trois plus grands spécialistes de la ménopause au pays. Le premier: «De quoi vous plaignez-vous? Si vous n'avez pas d'orgasme, vous n'en souffrez donc pas!» J'ai hurlé: «Je vous parle de désir. Pas d'orgasme! Des orgasmes, je peux en avoir.» Le problème, avais-je envie de crier, c'est que J'AVAIS du désir AVANT, donc je SAIS ce que je manque! Et pour moi, rien n'est plus précieux que le désir!

Le second: «Ne vous avait-on pas dit que votre désir disparaîtrait avec vos ovaires? Moi, si on me castrait, ce serait la même chose. Allez, vous êtes en santé, c'est ce qui compte. Oubliez cela!»

Le troisième: «Vous êtes en manque d'hormone masculine, c'est tout! Chaque mois, je vais vous faire une injection de testostérone (Climacteron) et vous retrouverez votre «drive» et votre ardeur de jeune fille, vous verrez.» Enfin, me suis-je dit, quelqu'un qui me propose une solution. Après six mois de cette médecine, tout ce que j'avais trouvé c'est un début de calvitie et des poils au menton!

Danièle

Aucun de ces grands spécialistes n'a réellement questionné la relation de Danièle avec son conjoint, n'a investigué le deuil symbolique qu'elle éprouvait, ne l'a référée à une personne compétente… Elle s'est résignée. Pendant des années, sa vie sexuelle fut désertique, son vagin aride, ses orgasmes mécaniques et insatisfaisants parce qu'ils n'étaient pas alimentés par le formidable moteur du désir. Danièle avait l'impression persistante de ne plus être une femme. Un bon jour, son conjoint s'est lassé et l'a quittée. Période de choc, de réorganisation existentielle et matérielle, d'apprivoisement d'une nouvelle solitude qui s'est finalement avérée souhaitable et profitable.

Danièle finit par trouver un équilibre hormonal, vit ses deuils, devient active dans les changements souhaités et au détour, la vie lui réserve une surprise de taille, inattendue, imprévue et imprévisible : elle tombe amoureuse. Et elle tombe aussi en désir… Pas plus hormonée qu'avant, sa libido se réveille, son clito à elle aussi fait toc-toc, ses muqueuses vaginales s'humidifient à la seule évocation de son amant, son désir est ardent, constant, ses fantasmes érotiques bouleversants, ses orgasmes spontanés et prodigieusement satisfaisants… Je l'ai vue avec son conjoint la semaine dernière. Trois ans plus tard, ils sont toujours en état d'amour et, au lit, des bêtes de sexe.

De grâce, n'avalez pas tout ce qu'on raconte à propos du désir. La plupart des experts de la question sont soit des médecins qui ne connaissent rien aux mystères de l'amour et de la sexualité, soit des spécialistes de la bandaison. Surtout, quels que soient votre âge et votre corps, vos ablutions hormonales, l'humeur de la lune, de vos règles ou de la marée, quelle que soit la tendance en vogue chez l'intelligentsia sexologique, pour les affaires sérieuses comme votre plaisir, trouvez votre propre route… En bout de ligne, l'importance qu'on accorde aux hormones, féminines et masculines, est inversement proportionnelle à la connaissance et à la compréhension qu'on en a. Les hormones n'induisent pas les comportements ; pas plus qu'elles ne les excusent. On peut être éminemment agressif sans être en *overdose* de testostérone ; on peut se trouver en surdose œstrogénique à mi-cycle sans nulle envie de copuler. Au mieux, ou au pire, les hormones peuvent influencer l'incidence de conduites déjà existantes. Indépendamment de ses défaillances hormonales, un despote de 100 ans continuera à se comporter en despote, à exiger qu'on lui obéisse. Assez parlé de produits endocriniens.

Autres propos sur le désir

Même s'il est à la source de la trajectoire sexuelle et érotique, le désir est peu dépeint dans la littérature sexologique. Les grands prêtres Masters et Johnson[25], suivis de nuées d'experts, ont indiqué l'excitation comme première phase de la courbe érotique ; le désir sexuel n'a jamais été théorisé dans leurs travaux. Dix ans plus tard, Helen Kaplan modifiera la méthode en suggérant que le désir est à la base de toutes les autres étapes et en influence le déroulement. Sans le désir, cet appétit un peu abstrait qu'on sent de l'intérieur et qui ne se laisse pas aisément jauger et quantifier, il n'y a pas d'excitation ou de progression voluptueuse. En effet, bien avant de dilater et de lubrifier les sexes, c'est la pupille de l'œil que l'intérêt sexuel dilate, lubrifie et enlumine. Le désir réveille aussi la faculté essentiellement créatrice de fabriquer des images qui provoquent et alimentent le goût de l'autre. Désir et fantasme se chevauchent et se rehaussent de mille nuances. Le premier est une disposition intérieure, un projet de convoitise ; cela, même quand il n'y a pas d'objet ou de sujet de concupiscence. Le second est une perception mentale, un contenu de l'imaginaire. Le désir peut toutefois surgir, brut, sans fantasme, résultat d'un stimulus purement exogène. Comme on

---

25. William H. Masters et Virginia E. Jonhson, couple de sexologues américains (gynécologue et infirmière). Ils ont observé et défini les quatre phases de la réponse sexuelle humaine : l'excitation, le plateau, l'orgasme, la résolution. À la fin des années 1960 et au début des années 1970, ils ont publié de nombreux ouvrages dont : *Les réactions sexuelles*, *Les mésententes sexuelles et leur traitement*, *L'union par le plaisir*.

ne peut le réduire au manège hormonal, on ne peut pas davantage le simplifier au jeu de connexions neurologiques. Le désir fait appel à la conscience et aux émotions et transcende ainsi le système neurologique[26].

Plus égocentrique que l'amour, le désir se suffit à lui-même, se consume de lui-même. Seul, coupé d'émois plus profonds, sa vie est une flambée brève et itérative ne débouchant pas sur la durée. Imaginons une situation que nous sommes nombreux à avoir expérimentée…

Vous êtes attiré par une personne. Vous sentez des petits crochets entre elle et vous. Cette femme ou cet homme vous plaît et vous captive : vous aimez son odeur et sa mouvance corporelle ; vous recherchez sa présence. Vous voulez retenir son regard. Vous êtes irrésistiblement attiré, fasciné… Après une période plus ou moins longue de rituels de séduction, d'avancées et de prises de distance, vous accédez à l'intimité au creux d'un lit…

Quand le désir est l'unique moteur d'un rapprochement, aussitôt que l'attrait ou le goût de conquérir est satisfait, l'autre redevient ordinaire, banal et « résistible ». Le désir est enivrant. Au passage d'une personne envoûtante, apparemment inaccessible et impénétrable, il est porté à son paroxysme. Mais c'est d'abord de son propre désir qu'on se grise. Une fois la personne devenue accessible et « accédée », le sortilège s'évanouit et le désir émoussé commence, dès lors, à se rendre disponible à une nouvelle source (et cible) de stimulation[27]…

Le désir est attraction, l'amour est relation et exige bien davantage. On guérit moins aisément d'un chagrin d'amour que d'une panne de désir ! Le désir est horizontal, inscrit dans

26. Claude Crépault, *op. cit.*
27. Citation libre de Michel Dorais, *Les lendemains de la révolution sexuelle*, Montréal, Éditions Prétexte, 1986.

la personne, tantôt muet, tantôt tapageur, se déployant *lento* ou *presto*… Les spécialistes consultés par Danièle n'avaient pas compris cela. Elle leur parlait de son désordre du désir, ils lui tenaient des propos sur l'orgasme. Cette dernière expérience est verticale et rectiligne, c'est l'aboutissement en quelques secondes d'un désir mené à son zénith ou d'une stricte stimulation mécanique soutenue jusqu'à l'apogée. J'aurais beau m'envoyer en l'air comme une crêpe, ressentir à la queue leu leu une ribambelle d'orgasmes, clitoridiens, vaginaux, utérins, mixtes, vulvaires, éjaculatoires, post-éjaculatoires réflexes, *kundalinis*, mentaux, *utéro-annexiels, doltoïstes* – brrrrrr… juste leur nom fait peur! – rien n'égale le désir. Désir de plaire, de séduire et d'être séduite, désir d'être, jusqu'à 100 ans, désirée, désirable et désirante. Aucune félicité n'est comparable à l'état de désir, au bonheur de se sentir habitée, occupée, boursouflée, renversée par son propre désir…

Désirer, c'est vivre. Ma mère disait, en maniant méditativement les aiguilles: «L'important, c'est pas le tricot; l'important, c'est de tricoter.» Désirer, c'est comme tricoter: un état de méditation-action aussi captivant et délectable que son aboutissement. Lorsque je suis séparée de l'homme que j'aime pendant une longue période, mon état de désir me remplit, me rend consciente d'être pleinement vivante. C'est un redoutable plaisir, une sensation prolongée de bonheur érotique. Le désir qui comble n'est pas perçu comme un manque. Il est plénitude.

Nous savons peu de chose du désir. Quelles distinctions faisons-nous entre désir relationnel, désir amoureux, désir d'être reconnu, désir de plaire, désir de baiser, désir de posséder ou de se certifier que l'on peut posséder si on le veut…? Entre tomber en amour et tomber en désir? Arrêtons-nous un moment au phénomène des couples en panne de désir, problématique récurrente et encombrant le circuit médiatique depuis une vingtaine d'années. En y regardant de près, on constate que les spécialistes proposent rarement des solutions susceptibles de développer le désir. Ils offrent plutôt une récupération exaspérée de l'excitabilité. À l'égard du désir, ils ont les mains vides, comme si le désir était un sujet trop complexe, issu de causes impalpables. Le corps médical sait bien corréler les liens entre hormones, excitation et orgasme mais ne possède pas de système valable pour l'évaluation et le traitement des troubles du désir.

Le désir, c'est parfois la première impulsion vers l'amour. Et l'amour, c'est parfois le pinacle du désir. Chose certaine, dans notre monde actuel, c'est l'excitation et la pétarade orgasmique qui récoltent les palmes. Tout pour maintenir, moduler, élargir, augmenter le vacarme jouissif.

CHAPITRE 3

La joie et la boîte à images

LE PLAISIR SUSPECT

À l'instar du désir, le plaisir érotique fait appel aux instances psychiques. Il prend appui dans des centres neurologiques spécifiques et en particulier dans le système limbique.

On associe aisément la sexualité à la génitalité, qui est une composante sexuelle parmi d'autres. On remarque la même tendance à l'égard de l'orgasme qu'on se représente comme étant LE plaisir majuscule alors qu'il constitue une minuscule étape sur le vaste continuum du bonheur érotique. Le spectre du plaisir sexuel est large. Il correspond à l'expérience émotionnelle, au senti et au ressenti agréables et divers ébauchés dans les univers corporel, affectif, relationnel et spirituel. Il comprend, sans s'y restreindre, la détente physique génitale. Non seulement il se déploie tout au long des phases de la réponse sexuelle, mais il est ressenti bien avant la réponse, quand les balbutiements sensuels se bousculent en nous pour faire surface… Éprouver la jouissance sexuelle est une expérience de croissance personnelle, de sensations plaisantes et de communication joyeuse, aussi noble qu'une autre. En contribuant au développement et au mieux-être global de la personne, le plaisir érotique embellit l'existence, bonifie la société. Il suggère une joie de plus en plus humanisée, de mieux en mieux partagée, à l'intérieur de laquelle la jouissance génitale prend sa place, une place sans cesse mutante, de palier en palier.

L'orgasme est *détabouïsé*, glorifié, minuté, analysé, observé en labo, contrôlé au quart de tour. On louange l'aboutissement alors que le circuit intégral du plaisir demeure suspect. Si le plaisir n'était pas louche, nos sociétés dites de plaisir accueilleraient bien plus favorablement l'expression sexuelle des personnes âgées, des personnes homosexuelles, des enfants, ainsi que les conduites auto-érotiques. N'est-ce pas parce qu'elles s'exercent dans une stricte perspective de plaisir et qu'elles ne peuvent mener à la procréation que ces conduites suscitent un tel malaise ? L'embarras que l'on éprouve à s'ouvrir au plaisir en tant que valeur existentielle ne viendrait-il pas du sens étroit et un peu mesquin qu'on lui attribue ?

Il suffit de voir la difficulté des parents à prendre le plaisir en compte dans leur démarche d'éducation sexuelle avec leurs enfants pour s'en convaincre. Fiston surprend-il leurs ébats intimes, voilà qu'ils se jettent sur le grand livre de la fabrication des bébés et discourent fastidieusement, au beau milieu de la nuit, de spermatozoïdes, ovules, conception, fécondation, grossesse, accouchement et tutti quanti devant un enfant croulant de sommeil… Fabriquaient-ils un bébé ? Absolument pas, on peut le parier. Pourquoi cacher aux enfants le fait qu'on se câline pour le plaisir et pour bavarder de corps à corps ? Il serait pourtant simple, juste et rassurant pour le bambin de s'entendre dire : « On a l'air un peu fou, mon chéri, mais si tu savais comme on s'amuse et comme on se fait du bien ! » Dans la plupart des pays occidentaux, la famille moyenne compte environ deux enfants. C'est donc dire que les parents ont eu, au cours de leur vie sexuelle, autour de deux coïts reproductifs. Le reste du temps, leurs rapprochements érotiques visaient à se procurer de la joie (du moins faut-il le leur souhaiter !). Pourquoi font-ils mine de l'ignorer ? Le mouvement vers le plaisir est un mouvement vers la vie et, par ricochet, vers la vie à protéger. Il faut en témoigner auprès des enfants plutôt que de les bluffer.

Enfin, est-il utile de rappeler que les principaux désordres de la personnalité découlent d'une incapacité à éprouver le plaisir ? Psychiatres et thérapeutes vous le diront : il est impossible d'éliminer les souffrances des personnes dépressives, frustrées et insatisfaites de l'existence si on ne s'attelle pas d'abord à restaurer chez elles l'aptitude au plaisir.

L'IMAGINAIRE ÉROTIQUE

L'imaginaire érotique est la faculté de s'érotiser par la création de scénarios et de fantasmes. On peut presque le considérer comme une zone érogène intra-psychique[28], un satellite d'Éros où se cache notre cinéma maison. Nous nous y réfugions pour y projeter, juste pour nous, sur notre écran intérieur, nos films lubriques.

Il y a l'imaginaire de la sensation et de la volupté, du sentiment et de l'émotion, de la relation. Il y a l'imaginaire de l'en-soi, du pouvoir qu'on exerce ou qu'on voudrait exercer. L'imaginaire fabrique et produit l'image qui est le fantasme. C'est le rêve éveillé, conscient. Les intrigues sont juteuses, goûteuses, pulpeuses, pleines de saveur érotique et hédonique pour le scénariste qui les fait naître. S'il est possible, comme on l'a vu, de désirer sans fantasme, ce dernier renferme presque toujours l'existence embryonnaire d'un désir. Claude Crépault a fait de l'univers fantasmatique son champ de recherche privilégié. Il soutient que le plaisir, même lorsqu'il est objectivement relié au partenaire, est toujours précédé par une sorte d'inclinaison à l'imaginaire qui le suscite.

Dans le contexte du couple stable, installé dans une routine de vie commune, d'aucuns suggèrent qu'une certaine privation sexuelle est souhaitable pour permettre aux partenaires de fantasmer l'autre et pour conduire ultérieurement le couple à une

---

28. Claude Crépault, *op. cit.*

satisfaction érotique plus intense. Cette idée renforce l'observation selon laquelle la tendance aux fantasmes augmente avec la durée de la relation. Comme si le fantasme jouait un rôle de *feedback*, de palliatif ou de correctif à l'inéluctable usure du stimulus, à la *routinisation* de l'amour.

Je crois possible qu'une seule personne soit la source privilégiée de satisfaction érotique d'une autre personne si l'univers fantasmatique est investi et exploré. L'imaginaire, son appellation même l'indique, est créatif. Il ne peut qu'enrichir le lien érotique du couple. Peut-être qu'accoutumance et habitude déboucheraient moins inexorablement sur la lassitude si nous plantions des fleurs dans notre imaginaire. La routine pourrait alors, comme le proposait Breton, «renvoyer à un dispositif de miroirs reflétant sous les mille angles que peut prendre pour moi l'inconnu, l'image toujours plus surprenante de l'objet d'amour et de mon propre désir[29] ».

La plupart des fantasmes érotiques ne sont jamais réalisés. Qui plus est, les conduites réelles se situent souvent aux antipodes du vécu fantasmatique. Selon Crépault, cet écart ne signifie pas que la personne soit inauthentique, déséquilibrée ou aux prises avec des problèmes d'anxiété. On peut supposer que plus l'univers fantasmatique est riche et le vécu sexuel pauvre, plus le fantasme exerce une fonction compensatoire et que cet effet peut contribuer à maintenir l'équilibre psycho-affectif.

---

29. André Breton, *op. cit.*

CHAPITRE 4

L'or, l'orgasme et l'*orgasmologie*

Paul Watzlawick[30] a mis en parallèle la valeur de l'or et de l'orgasme. Les caractéristiques physiques de l'or sont connues et vérifiables, mais sa valeur marchande, le rôle qu'il joue dans l'économie sont des réalités créées par l'homme. Ne l'oublions jamais : la cote de l'or est déterminée deux fois la semaine, par quelques bonshommes, dans un petit bureau londonien ! Des psychologues américains ont beau avoir évalué la valeur de l'orgasme à 7 000 $[31], cette expérience de plaisir est une réalité objective immensément subjective et le moment érotique suprême est celui qui satisfait les exigences particulières issues de l'inconscient et de l'histoire privée de chacun.

Des scientifiques de l'Université Warwick se sont donc occupés à évaluer et à chiffrer en dollars la valeur de la vie sexuelle. Prétendant s'appuyer sur des recherches sérieuses dans le domaine de l'économie du comportement, ils attribuent un prix aux différentes activités sexuelles. Si l'argent ne fait pas le bonheur, certains bonheurs sexuels auraient la cote financière ! Faire l'amour une à cinq fois par mois vaudrait 50 000 $US par année. Les caresses et câlineries intimes sont évaluées à 26 000 $. L'orgasme, on l'a dit, est estimé à 7 000 $.

---

30. Paul Watzlawick *et al.*, *Une logique de la communication*, Paris, Seuil, 1972.

31. Rapporté dans le journal *La Presse* du 17 novembre 2004 par Nathalie Collard, qui tire ses informations du numéro d'octobre 2004 du magazine *Psychology Today*. Pour plus de détails, voir <www2.warwick.ac.uk/fac/soc/economics/staf/faculty/oswald/finalsentscanjsex04.pdf>.

C'est moi qui interprète que c'est le fait d'en avoir qui représente cette somme annuellement. Autrement, si chaque orgasme valait 7 000 $, nous serions nombreux à être de vrais nababs et les femmes multi-orgasmiques seraient multimillionnaires, rivalisant ainsi avec les Celine et Oprah[32] parmi les richissimes de la planète. Quant à savoir si les deux célébrités seraient en compétition en ce qui concerne l'opulence orgasmique, c'est une autre histoire…

Si l'on ajoute à ces gros lots le fait que l'orgasme a un effet bénéfique sur le cœur et sur le système immunitaire, nous savons ce qu'il nous reste à faire pour être riche et en santé plutôt que pauvre et malade…

Finissons-en avec cet or et cet argent décernés à l'orgasme. À la fin du XIXᵉ siècle et au début du XXᵉ, on s'est rué sur l'or. La révolution sexuelle inaugura une ruée sur l'orgasme. Depuis, on le réclame à grands cris et on s'y agrippe à tout prix : rapidement, efficacement, *multiplement*, démesurément. L'heure est à la performance, à l'efficacité, à l'achèvement. Sprint à l'orgasme ! Ce qui rogne du temps n'est pas à la mode. Séduire, désirer, vaciller prennent du temps. L'érotisme, qui exalte le plaisir en ralentissant sa course, prend du temps. Trop de temps. On n'en a rien à cirer de parvenir à l'orgasme par le chemin le plus long et le plus enlevant, le plus indirect et le moins fréquenté. Il y a une dizaine d'années, Jean-Yves Desjardins puis Gilles Carles[33], chacun érotologue à sa façon, me faisaient sensiblement la même observation : lorsque les rituels de séduction et jeux sexuels se prolongent dans un film érotique, les gens décrochent. Il

---

32. Celine Dion et Oprah Winfrey sont respectivement une chanteuse vedette internationale et une animatrice américaine ; les deux sont multimillionnaires.

33. Le premier a été un sexologue vedette des années 1980 dont les vidéos et diaporamas sur l'érotisme attirèrent des milliers de personnes au Québec. Le second est un cinéaste québécois émérite.

faut que ça aboutisse ! Le public censure le plaisir et la durée plutôt que l'obscénité.

L'ORGASME : UN, SEUL, UNIVERSEL ET APOSTOLIQUE ?

Nombreuses sont les sources de stimulation qui peuvent conduire une femme à l'orgasme. Quelles que soient ces zones – clitoris, mamelons, lèvres, point G, orifice vaginal… –, les spasmes, vagues et contractions de plaisir sont toujours perçus au niveau du tiers externe du vagin. Sont-ce les orgasmes qui sont vaginaux, clitoridiens, vulvaires ou utérins, ou encore les zones déclencheuses ? Quelques rares femmes peuvent obtenir des orgasmes par le seul mouvement de va-et-vient du pénis dans le vagin. La majorité y arrive par d'autres formes de stimulation. Celle-ci a une géographie érotique générale, celle-là a un répertoire plus spécialisé. Et puis après ? Un orgasme est un orgasme. Les différences se situent sur le plan du sentiment personnel et intérieur de satisfaction ou d'insatisfaction.

Clitoridienne… ou pénienne ?

Quand un homme se demande ou demande à une femme si elle est clitoridienne ou vaginale, il veut en réalité savoir si elle finira par jouir par le frottement de son pénis contre ses parois vaginales. J'ai toujours cru que l'expression « orgasme vaginal » était une supercherie et que l'appellation conforme aurait dû être « orgasme pénien ». L'orgasme vaginal est un mythe auquel les femmes ont été tenues de croire. On les a convaincues que la seule vraie bonne jouissance féminine était celle obtenue grâce à l'équipement sexuel mâle ! Le clitoris est au cœur de la jouissance et de la sexualité féminine et nous devons combattre toute tentative, d'obédience freudienne ou autre, visant à le rabaisser.

Le clitoris se projette bien au-delà de ses frontières anatomiques. Les 15 000 fibres nerveuses qui desservent l'ensemble de la région pelvienne interagissent avec le noyau central du clitoris [...]. Chez certaines femmes, la peau entourant l'orifice urinaire est extraordinairement sensible, ce qui entraîne facilement l'orgasme dans la mesure où le tissu périphérique à l'urètre est vigoureusement stimulé par le seul va-et-vient du coït. D'autres femmes affirment jouir plus facilement quand une pression s'exerce au fond du vagin, ce qui a conduit le gynécologue Ernst Grafenberg à parler de l'existence du point G qui serait une sorte de clitoris interne [...]. D'autres contestent l'existence du point G si difficile à cerner. Pourquoi s'acharner à inventer des sites érogènes inédits, disent-ils, quand les infrastructures existantes font l'affaire ? Les racines du clitoris vont profond après tout, et peuvent être titillées par-derrière. Autrement dit, le point G pourrait bien être rien de plus que l'autre bout du clitoris[34].

Qu'elle l'admette ou non, la sexologie clinique a institué une sorte de culte à l'expérience orgasmique, ce délassant segment du parcours érotique. On nous a convaincus que, hors de la planète *Orgasmie*, point de salut érotique ! Que l'itinéraire sexuel valable et complet était un marathon à l'orgasme. Pourtant, à trop courir après l'orgasme, le bon, le normal, le conforme, le vrai... on finit par passer à côté du plaisir.

L'orgasme est l'intervalle le plus fugace de la réponse sexuelle : quelques époustouflantes secondes au cours desquelles de 3 à 12 spasmes libératoires se suivent aux 8/10 de seconde, chez les hommes comme chez les femmes. C'est donc l'étape la plus fugitive de la promenade érotique toute traversée de plaisir, depuis le désir, son point de décollage, via l'excitation, le plateau et la résolution, c'est-à-dire avant, pendant et après le débondage et la débandade.

---

34. Natalie Angier, *op. cit.*

Certains parlent d'un érotisme orgasmique et d'un érotisme anorgasmique. L'homme a grandi dans la valorisation de l'activité éjaculatoire et orgasmique. Il semble imaginer, donner et recevoir moins spontanément la jouissance anorgasmique. La femme a été encouragée au plaisir sensuel et sensoriel qui se suffit à lui-même sans apogée ni chute… L'expérience illustrant le plus éloquemment cet énoncé est la reproduction : l'homme devient père en un instant, à la suite d'un acte fondé sur l'orgasme éjaculatoire, tandis que la femme a, avec son bébé dans son ventre pendant neuf mois, un rapport érotique typiquement anorgasmique.

SATISFACTION ÉROTIQUE ET *ORGASMOLOGIE*

À tort ou à raison, les experts en sexologie ont été considérés comme des *orgasmologues*. Ils se sont tranquillement et subtilement laissés étiqueter comme fabricants d'orgasmes, techniciens de la génitalité, garagistes du sexe.

Le bien-être érotique ne réside ni dans l'orgasme ni dans la jouissance immédiate commandée aux *orgasmologues* comme on commande un jouet au père Noël. Le nombre croissant de personnes, hommes et femmes, humainement et sexuellement insatisfaites malgré leur aptitude à se gratifier d'orgasmes auto-érotiques torrides en témoigne. Lorsqu'on les mesure en laboratoire au moyen d'appareils sophistiqués, les orgasmes obtenus par masturbation se révèlent les plus intenses. Mais la satisfaction érotique a un sens plus profond et plus métaphysique. Elle sous-entend la sérénité globale et identitaire engendrée par la communion érotique, sexuelle, relationnelle et intime. Elle comble toute la personne, enchante toutes les cellules et atomes du corps et de l'âme. L'orgasme et la détente génitale y contribuent au même titre que tout autre constituant érotique ; ils ne la garantissent pas. Enfin, la satisfaction érotique est toujours fonction de l'essence qu'on lui attribue, de la subjectivité.

ÉROTOPHOBIE ET SEXOPHAGIE

L'ensemble des réactions émotives négatives tels le dégoût et la peur à l'égard des sensations et des expériences érotiques s'appelle *érotophobie*. Nos aînés savent bien raconter la peur de la sexualité qui régnait durant leur enfance et qui veillait sur leur chasteté. La plupart des hommes et femmes de ma génération ont grandi dans un contexte social qui véhiculait un message trouble et double suivant lequel la sexualité était quelque chose de « sale, péché, honteux et dégoûtant » qu'il nous fallait néanmoins préserver « pour la personne qu'on aimerait vraiment » !

Dans les années 1990, pour cerner le portrait de l'érotisme projeté dans l'univers médiatique par les sexologues, j'interviewai huit d'entre eux et j'analysai leurs communications. Résultat : l'immense majorité des sujets traités reflétait une sexualité médicale, médicalisée ou… malade et tournait autour d'aspects curatifs, de l'ajustement de la mécanique génitale, de la prévention des misères sexuelles et des conséquences fâcheuses de la sexualité. Sur plus de 200 thèmes recensés, seulement 4 contenaient le mot *érotisme* et un seul renfermait le mot *plaisir*. « Est-ce parce que les aspects médicaux de la sexualité sont plus objectivables, *scientifisables* et rentables que sexologie et médecine couchent ensemble ? me demandais-je alors. S'agira-t-il d'un flirt passager ou d'un mariage durable ? » Aux dernières nouvelles, ces disciplines font encore lit commun. J'avais hélas également constaté que, si l'érotisme captivait les sexologues, ils s'en cachaient bien. En effet, les entrevues m'avaient permis de me rendre compte que le concept d'érotisme incarnait pour la profession sexologique la notion la plus confuse, la plus floue, la plus inconsistante et la moins uniforme qui soit malgré que tous l'associaient à la réponse sexuelle.

Nommer, considérer, accueillir l'érotisme, c'est lui donner du pouvoir, le rendre réel, important et vivant. En reconnaissant qu'une chose existe et vit, on reconnaît du même souffle qu'elle est mortelle. En ne se réclamant pas de l'érotisme, en se cantonnant à une sexualité génitale et d'instrumentation, les spécialistes du sexe se garderaient-ils une porte ouverte sur l'éternité ?

La sexologie moderne n'a certes pas mené à l'*érotophilie*. Involontairement, elle a probablement contribué à la *sexophagie* : consommation sexuelle, *fast food* porno, génitalité mesurée, normée, étalonnée, instrumentale et surtout… insignifiante.

Nous avons mis longtemps à nous ouvrir à la sexualité non reproductive. Bien du chemin reste à faire avant de célébrer Éros. Nous sommes boulimiques de cul parce que, me semble-t-il, quelque chose nous échappe dans l'érotisme et nous effraie. Comme si l'érotisme renvoyait à la magie, que son propre était l'illusion et son but l'éternité… Outre les doutes et les hésitations, l'envoûtement et le magnétisme qu'il suscite en nous, que savons-nous de l'érotisme ? Si peu. J'en parle publiquement pour partager une ferme conviction et un fragile espoir : développer et élargir le potentiel et la relation érotiques enrichiraient toute la relation humaine, et la réussite en ce domaine conditionne le bonheur. Je crois en l'érotisme comme on croit en l'illusion qui fait partie intégrante et vivifiante de la réalité.

LES PROS DU SEXE

On a vu que les experts en sexe, patentés et en titre, se montrent rarement *érotophiles* ou *érotologues*. Reste à souhaiter que le vide érotique de leurs interventions reflète celui de leur formation plus que celui de leur vie ! Il semble que dans les pays occidentaux on soit fort en sexe et nul en éros[35] !

35. C'est quand même au Québec que la sexualité est le moins médicalisée. Les sexologues québécois ont, par leur formation universitaire multidisciplinaire, un profil unique au monde. Mais là comme ailleurs, dans une moindre mesure, on forme des béhavioristes. Le profil des sexologues-éducateurs y est bien organisé : ceux-ci ont une vision plus intégrative de la sexualité que les sexologues cliniciens qui occupent le haut du pavé.

Un tournant engagé il y a une quinzaine d'années se cristallise chaque jour : on remplace la sexualité par la santé sexuelle, l'éducation sexuelle par l'éducation à la santé, et la sexologie est récupérée par la médecine. Vous avez un problème d'érection ? On ne s'interroge pas trop sur votre relation, on vous offre du Viagra ! Un trouble du désir ? À défaut de pilule miracle, on vous prescrit des excitants offerts dans les boutiques érotiques !

L'approche santé de la sexualité, parfois précise et efficace, m'inquiète. Prenons la prévention du sida. La préservation de la santé a toujours dominé les campagnes de sensibilisation au VIH. Elle a aussi contribué à renforcer l'image d'une sexualité réduite aux rapports risqués pénétrant-pénétré : anal, vaginal, oral-génital. Elle a renforcé l'idée d'une sexualité mortuaire et de la dangerosité de l'autre[36]. On sait bien pourtant que l'éducation à la sexualité, par ses aspects multidimensionnels – affectifs, émotifs, relationnels, sociaux, culturels, cognitifs, physiques, spirituels, moraux, comportementaux… –, déborde largement la conservation de la santé. C'est cette éducation sexuelle qui est susceptible de rejoindre et de toucher la personne. En identifiant les déterminants du plaisir, du désir, de la relation amoureuse, des rôles et des stéréotypes de rôles, des rapports hommes-femmes, de la décision de s'engager ou non dans un rapprochement intime, elle est bien plus prometteuse.

Aujourd'hui, pour répondre aux besoins et problèmes qu'une certaine sexologie a engendrés, les spécialistes du sexe se jettent à corps perdu dans le traitement : éjaculation rapide, retardée, douloureuse, rétrograde, absente, *anhédonique* (sans plaisir) ; anorgasmie (absence d'orgasme) primaire, secondaire, tertiaire, vaginale, coïtale, *poingéale*, totale-radicale…

Difficile d'entrevoir et d'accoster sur des plages de délices quand on navigue sur un océan de douleurs… Ligotés dans la

---

36. Louise Gaudreau, citée par Jocelyne Robert dans *Parlez-leur d'amour et de sexualité*, Montréal, Éd. de l'Homme, 1999.

camisole de force de la mécanique génitale, il est malaisé de prendre son élan et son envol érotiques… À force de décortiquer la gestuelle génitale, de déculotter la fesse de sa symbolique, de standardiser les conduites sexuelles, de les *scientificiser* et d'y ajouter le poids statistique, on a fini par exterminer les plaisirs liés à l'interdit, à l'improvisation, à l'inconnu, à la fantaisie, à l'émerveillement, au voilé et à la pudeur érotique.

Une collègue se plaignait récemment qu'on invite rarement les sexologues à débattre de dossiers heureux sur la place publique. Rien de plus normal puisqu'on nous a accolé le titre de professionnel de la misère sexuelle. À trop flirter avec la « petite mort » (l'orgasme), nous nous sommes retrouvés mariés à Thanatos ! Être sexologue et faire carrière dans la souffrance, voilà une belle contradiction ! C'est le devoir et la raison d'être de la sexologie de promouvoir l'érotisme, de se vêtir d'espoir et de bonheur. Si elle en est incapable, qu'elle disparaisse derrière la médecine ou la psychologie, qu'elle laisse l'érotisme aux poètes, aux artistes, aux mystiques, aux créateurs et aux illuminés.

S'ouvrir à l'érotisme, c'est cultiver le désir d'éternité tout en sachant qu'on n'est pas éternel. Encore l'illusion…

TRANSIT ÉROTIQUE

Je t'aime mon Amour

Où étais-tu avant de venir de nulle part vers moi ?
Avant que je me cale dans tes bras comme on entre chez soi
*   après des siècles d'itinérance ?*

Tu m'as conviée à un ludique et inespéré festin printanier.
Tu m'as sustentée, réjouie, enveloppée.
Tu m'as éclaboussée de lumière et de nectar.
Tu m'as fait débouler de rire.
Tu m'as égarée dans la forêt drue de tes mystères.
Et pendant ce temps, toutes les cellules de ma peau photogra-
*   phiaient tes caresses…*

Chaque nuit depuis, tes yeux chatoient pour moi
Comme l'œil d'un chat, comme des petites mers d'eau potable.

Hier, j'ai articulé les mots « je-t'ai-me ».
En les épelant et en les déliant, j'ai vu chacune de ces syllabes,
*   chaque lettre tenant la main de sa suivante, s'élever en*
*   valsant puis se buriner dans l'infini.*

Je t'escalade, en te câlinant, avec une infinie douceur.
Du bout des orteils jusqu'au sommet de l'âme
*   en m'attardant paresseusement sur ton sexe gonflé de joie.*
Je t'amène sous la douche, te lèche et t'ouvre les yeux
*   avec ma langue pour que tu voies tout tout tout.*

Lave-moi de plaisir qui apprend à être amour !
Lave-moi d'amour qui apprend à être plaisir !

DEUXIÈME PARTIE

DE L'ORGASME TABOU
À L'ORGASME TOTEM

CHAPITRE 5

Avant-hier : Sexualité-Calamité

Il y a environ trois siècles et des poussières aurait eu lieu une rupture épistémologique faisant basculer la sexualité festive dans la grande noirceur sexuelle. On prétend qu'avant ce tournant les gens ne se faisaient pas prier pour s'amuser et batifoler. Les femmes et les adolescents, notamment, manifestaient des capacités et besoins sexuels bien plus guillerets que durant la période subséquente. Dure et monotone, la vie était heureusement ponctuée de fêtes successives : du printemps, de la moisson, de la foire, de la kermesse et de l'après-messe… qui se terminaient invariablement par des parties de jambes en l'air. Van Ussel[37] rapporte que, par une sorte de gai mimétisme, les jeunes qui assistaient aux rituels du mariage couchaient ensemble à l'issue de la cérémonie. Ce qui donna naissance au proverbe paysan allemand : *Le mariage appelle le mariage !*

Les loisirs étaient rares. À défaut de lire le *Kama Sutra*, on lisait dans les étoiles. Qui sait ? Ces lectures nocturnes étaient peut-être très enlevantes érotiquement. On peut imaginer que les rapports sexuels étaient primaires, ce qui ne signifie pas sans joie. La restructuration sociale, l'expansion du type de pudeur que l'on connaît encore aujourd'hui et de nombreux autres facteurs ont pavé le chemin à une répression de la sexualité qui allait durer, avec quelques variantes, jusqu'à notre révolution sexuelle.

---

37. Jos Van Ussel, *Histoire de la répression sexuelle*, Paris, Laffont, 1970.

Vers les XVIIe et XVIIIe siècles, l'Église interdisait de faire l'amour la nuit, prétextant que les rejetons issus de cette union risquaient la cécité. Astucieux clergé qui tolérait le commerce sexuel diurne en sachant très bien que les corvées de travail, de l'aube au crépuscule, laissaient peu de place aux épanchements lascifs. L'âme à la tendresse ou à la bagatelle était donc régie par une sorte de convention solaire… avec droit de forniquer entre les lever et coucher du soleil. À bien y penser, peut-être est-ce protocole qui a fait que les familles ne comptaient pas les marmots à la douzaine. Assurément, les pauses café, pauses santé ou pauses sexualité n'avaient pas encore été inventées ! Jusqu'en 1920, dans certaines régions de pays aussi civilisés que la France et les États-Unis, on punissait les vilaines fillettes masturbatrices en cautérisant leur clitoris. Et Balzac, dans sa grande philanthropie et le plus sérieusement du monde, conseillait aux futurs époux de ne pas commencer leur mariage par un viol[38] ! Que d'humanisme !

LA PROCRÉATION

Pour nos grands-parents, de lignée maternelle surtout, le sexe n'a pas souvent été une partie de plaisir.

> *Il n'y avait qu'une seule voie : l'endurance et le silence. Notre vie était toute tracée d'avance. Se marier par amour était déjà un privilège. Ce fut mon cas. Vivre sa sexualité ? La question de la sexualité ne se posait même pas ; alors, pour ce qui est de la vivre, vous imaginez…*
>
> *Les femmes passaient leur vie enceintes. Moi, j'ai eu sept enfants. Autour, les familles en comptant 10 ou 12 étaient fréquentes. Il y avait la procréation, point final. Le devoir conjugal,*

---

38. P. Bruckner et A. Finkielkraut, *op. cit.*

en raison de la nature de l'homme. Je n'ai pas porté de robes de nuit avec un trou dedans ; ma mère, oui. On se lavait une fois par semaine, à l'eau froide, sans enlever nos épais sous-vêtements. Le plaisir au lit ? Réservé aux hommes, et encore… On l'acceptait comme un mal nécessaire. Je fais partie des femmes qui ressentaient parfois, malgré tout, un timide plaisir, délicieux mais combien coupable. On devait s'en confesser et expier le châtiment… en égrenant notre chapelet, en rêvassant à d'autres subreptices jouissances. L'expression « faire l'amour » n'était pas née. Prendre du plaisir charnel était un péché mortel, l'enfer en héritage… C'était l'époque.

Marie, 90 ans[39]

FAMILLE ! FATALITÉ ! FIDÉLITÉ !

La sexualité avait une fin unique : la reproduction de l'espèce. C'était le triomphe de l'endurance, le règne de l'interdit. Celui-ci éveillait-il quelque fascination ? Vertu et privation épuisaient-elles le désir ou l'exacerbaient-elles ? À entendre les survivants de cette époque, c'était selon. La sexualité était emmurée mais vivante, murmurante, qui révoltée qui soumise ou en recherche d'équilibre. Hommes et femmes arrivaient au mariage ignares et chastes. Pour de nombreuses femmes, la nuit nuptiale était une nuit d'horreur et pour la plupart, un moment de découvertes stupéfiantes.

C'est seulement depuis 1837 que le mot orgasme a son sens actuel d'acmé du plaisir sexuel. Autrefois, ce mot évoquait une maladie psychiatrique féminine, une attaque de colère et de folie, l'hystérie. Je me plais à imaginer que des femmes ont pu manifester leur indignation ou somatiser leur révolte par des

---

39. Marie aurait aujourd'hui 96 ans. Elle était la maman de Christiane, la grand-maman de Sophie et l'arrière-grand-maman de Jade, que vous rencontrerez plus avant.

attaques d'orgasme. En tout cas, moi, si je devais me résigner à être la proie d'une attaque, je choisirais bien celle du bataillon d'orgasmes…

Et puis, ce fut le *statu quo*. Le sexe séjourna dans les limbes jusqu'à Freud : Wilhelm se détachera du peloton freudien au moment où le zoologiste Kinsey se convertira aux mathématiques sexuelles. Avec eux, le vent tourna.

VENT FOU

Alfred : la bosse des chiffres

C'est l'année de ma naissance qu'un ouragan de changements lorgne la planète de son gros œil. Alfred Kinsey sonde les comportements sexuels de milliers d'animaux humains américains. Je dis « animaux humains » comme ça, sans malveillance, Alfred étant un spécialiste animalier… Il publie un gigantesque rapport décrivant froidement les conduites et activités sexuelles. Un seul critère : le nombre. Tant de sodomies, de cunnilingus, de fellations, de conduites fétichistes, d'activités homosexuelles, bisexuelles, hétérosexuelles, de masturbations, etc. Le regard est glacial : on calcule les fréquences, on évalue les réussites, on additionne les comportements, on soustrait les échecs, on établit des sommes, on mesure les durées, on situe des moyennes, on traduit en pourcentage, on élabore des statistiques. On ne se préoccupe guère des influences et conséquences psychologiques et affectives, culturelles ou sociales de telle ou telle pratique. Prodigieux effet de ces révélations publiques : un parfum de déculpabilisation, tant personnelle que collective, embaume. Le grand mérite du rapport Kinsey : un vent chaud qui innocente après un règne de froidure coupable.

Il faudra longtemps pour comprendre les limites et le réductionnisme de cette enquête et à l'époque on l'accueillera,

ainsi que ses populaires traductions, comme preuve d'une libération en marche[40]. Quelques rares voix s'élèvent, dont celle
de Bataille qui, en dépit de la sympathie de principe que lui inspire Kinsey, objecte « que toutes ces courbes, graphiques et statistiques sont incapables d'appréhender l'élément irréductible
de l'activité sexuelle, cet élément intime qui demeure insaisissable, étranger au regard du dehors[41]... » Le *Rapport Kinsey* sera
suivi, au cours des décennies 1960 et 1970, par les travaux mar-
quants de Virginia Masters et William Johnson. Ils seront les premiers à faire des êtres humains des rats de laboratoire en observant
et en mesurant, *in vivo*, le déroulement de l'activité sexuelle, les
réactions génitales et physiologiques inhérentes à chaque phase
de la réponse sexuelle.

Ces études et expériences révélatrices marquèrent le début
d'une époque qui perdure : celle d'une sexologie clinique, d'une
dictature de la norme d'un plaisir fonctionnel et approuvé,
d'approximatives pathologies et du devoir d'orgasme. Devoir
à accomplir selon la méthode, sous peine d'être taxé de dysfonc-
tionnement, d'incompétence et de non-conformité ou d'être carrément disqualifié. Fait cocasse par rapport à l'étendard sexuel
actuel, on apprend dans le célèbre *Rapport Kinsey* que le chaud
lapin moyen – donc normal, donc puissant – s'excite, bande
et éjacule en criant lapin, c'est-à-dire en moins de quelques
minutes. Autres temps, autres mœurs, puisque aujourd'hui ce
sacré gaillard se fait soigner !

Au moment où j'écris ces lignes, un film prend l'affiche en
Amérique sur la vie de ce précurseur de la révolution sexuelle. Certains saisissent l'occasion pour manifester leur inquiétude publiquement : en 2004, les mannequins féminins tridimensionnels uti-
lisés dans les cours de sexualité n'ont toujours pas de clitoris. Et
c'est avec cela qu'on explique le plaisir féminin aux adolescents !

---

40. Jean-Claude Guillebaud, *La tyrannie du plaisir*, Paris, Seuil, 1998.
41. *Ibid.*

Le pourcentage des écoles de médecine qui enseignent la sexualité à leurs étudiants est passé de 90 à 15 % en 20 ans, les fonds de recherche dans le domaine de la sexualité diminuent et les programmes d'éducation à la sexualité doivent proposer aussi l'abstinence pour pouvoir recevoir des subventions[42].

Le Québec est emporté par cette vague régressive : les programmes scolaires d'éducation sexuelle reculent, des parents « capotent » devant l'homosexualité de leur ado et font des neuvaines à saint Joseph pour demander sa conversion[43], les femmes font semblant de jouir plus souvent qu'autrement et le sexe se déploie à l'enseigne du sensationnalisme. La sexualité réussit un tour de force : elle est partout et nulle part ! Plus la porno s'étale, transversale et tentaculaire, plus l'éducation à la sexualité régresse.

Reich : le grand *orgasmologue*

L'arrivée de Wilhelm Reich marque vraiment le *momentum* où la sexualité passe de l'état de vilaine chenille encoconnée à volage papillon au phallus hypertrophié. Avec lui, plus de doute possible, l'orgasme devient le *poing* de convergence[44]. Tout *con verge* (me pardonnera-t-on ce facile jeu de mots ?) vers la détente génitale « totale-radicale » et, devrions-nous ajouter, masculine. Reich, disciple dissident de papa Freud, ex-arpète chouchou de Marx, en appelle d'une émancipation sexuelle qu'il eût été plus juste d'appeler défoulement génital masculin. Il transforme en fait de nature ce qui appartient à l'histoire et à la culture, il gomme les homosexualités. Pfft !… ce ne sont que déviances qui ne cadrent pas dans

---

42. Nathalie Collard, « Parlons sexe », Montréal, *La Presse*, samedi 13 novembre 2004.
43. À la suite d'une conférence que j'ai prononcée il y a quelques semaines, un adolescent de 16 ans a dévoilé son homosexualité à ses parents. La mère me supplie, depuis, de le ramener dans le droit chemin et de l'aider, elle, à traverser cette épreuve. Quant au père, il veut que je lui explique comment se rapprocher de son fils et partager avec lui des activités de « vrais mâles ».
44. Comme une certaine entreprise médiatique québécoise… (Désolée que seuls les Québécois puissent saisir cette note.)

sa théorie ! Il érige des détails en normes[45]. Infatigable mégalo-
mane, non seulement il essaime sa semence visionnaire dans tout
ce qui vit, mais il tente de féconder l'univers et de s'incruster dans
l'universel et dans le cosmique.

Cette figure marquante du mouvement de libération sexuelle
enfonce le clou de la pseudo-insensibilité masculine : les hommes
ne pleurent pas, ni des yeux ni de la queue. Ils sont en contrôle,
débandent et éjaculent au moment de leur choix. On est loin de
ces rustres recensés par Kinsey. Le mâle reichien explose triompha-
lement quand il en décide et celui qui arrose à l'improviste est un
infirme à soigner. À partir de là, l'homme sera contraint de s'imaginer baisant avec une guenon pour ne pas asperger à la hâte. On
lui recommandera aussi de se squeezer le gland, d'écraser son péri-
née (partie située entre le scrotum et le soleil anal), d'accrocher des
pinces à linge à ses testicules, de suspendre le va-et-vient en pen-
sant à sa mère-grand, de vaporiser un anesthésiant sur son poireau,
de serrer les mâchoires en contractant ses sphincters… Que de
détente et d'abandon érotique ! J'exagère à peine… Un peu plus et
on lui prescrirait d'envelopper sa quéquette dans un cataplasme de
moutarde forte ! Le coït devient un ring, le lit, un lieu de labeur. La
fusion cosmique promise par Reich, si elle existe, se profile bien
loin, dans d'autres galaxies !

Tout cela était malgré tout assez magique parce que nouveau
et osé ! Rafraîchissant, révolutionnaire et si libérateur d'entendre
enfin parler de cul ! Que n'aurions-nous enduré pour causer de sexe,
de queue, de bite, de chatte, de pénis, de vagin, de plaisir, d'orgasme ? Amenez-en des réflexes orgasmiques et arcs de flèche ! Nous
étions tout extase au discours de Reich sur notre stase sexuelle[46] !

----

45. P. Bruckner et A. Finkielkraut, *op. cit.*

46. Concepts reichiens tirés de *La fonction de l'orgasme* de W. Reich et cités
de mémoire imparfaite. Reich appelle stase sexuelle le résidu d'énergie
sexuelle, non libéré dans l'orgasme copulatoire et qui produit la névrose.
En fait, il ne supporte pas le désir. Pour lui, tout est dans l'orgasme.

Nous nous délections comme des bambins découvrant le langage ordurier, tout au bonheur de crier les mots qui choquent en se baladant zizi et zézette au vent à la garderie… Le *génitalisme* ou culte *hétérophallique* reichien aveugla. Immense et pompeuse théorie qui voulait que tous les phénomènes, cosmiques, planétaires, climatiques et politiques, aient tout bonnement plagié les mécanismes de la jouissance pénienne et de l'orgasme viril. Rien de trop beau ! Rien de trop fou ! Sans doute avions-nous un immense besoin de déraison !

CHAPITRE 6

Hier : Sexualité-Panacée

Le ton est donné. On commence à brandir l'orgasme comme un totem, une cocarde, une amulette, un gri-gri de toutes les vertus, de tous les mérites. Les idées de Reich «campent à merveille les lubies de l'époque», hédoniques et politiques. Il fallait adhérer au dogme, partager son corps sans regimber ou alors s'analyser et faire son autocritique. Libération ou terrorisme ? La sexualité des enfants est exaltée jusqu'à tolérer la pédophilie[47].

LA RÉVOLUTION

Le livre rouge des *sixties* : priorité absolue à la jouissance, mariage raillé, exclusivité amoureuse ou sexuelle dénigrée. *Peace and love* mais quand même…, le communisme est d'abord et surtout charnel. Les années 1960 ouvrent une parenthèse enchantée avec la pilule, princesse de lumière. La fin des années 1970 la ferme avec le débarquement du sida, prince des ténèbres. On peut vraiment associer ce qu'on a appelé la révolution sexuelle à cette époque de transformations des mœurs située entre l'arrivée de la contraception orale (1965) et l'arrivée du sida (début des années 1980). Quinze années de grâce et de légèreté, digressives et exaltantes durant lesquelles tout était permis, pensable, possible et… idyllique.

---

47. P. Bruchner et A. Finkielkraut, *op. cit.*

On dit « je t'aime » à 12 000 personnes, on embrasse la planète et on fait l'amour à l'univers. Dans le rapport en tête à tête, on ne dit plus « je t'aime », mais « j'ai envie », « j'aime »… Plusieurs vivent dans des sortes de kibboutz qu'on appelle des communes ; on y fait des *trips* de subsistance en fumant de l'herbe. Là, on distribue les « je t'aime » ; chacun sait bien que cette déclaration d'amour est multipliée à l'ensemble des communards… Au tréfonds de soi-même, on sait bien qu'aimer tout le monde c'est n'aimer personne. L'amour est partagé, cosmique, communiste et, tout compte fait, parfaitement insignifiant.

Frénésie, boulimie, fièvre, bouillonnement… On dévore le *Kama Sutra* en même temps que le « Petit Livre rouge » de Mao ; on fantasme sur le *Che*[48]. À défaut d'être à l'aise dans les 101 positions malgré tous nos efforts et talents de yogis, on butine les 101 partenaires. On ne s'est pas embêté… Comme l'ont bien décrit Bruckner et Finkielkraut puis Guillebaud[49], les doutes viendraient plus tard, avec le dégrisement.

« C'est le début d'un temps nouveau, la terre est à l'année zéro, les femmes font l'amour librement, les hommes ne travaillent presque plus, le bonheur est la seule vertu… », disait la chanson-culte de l'époque, composée par Stéphane Venne. C'était le règne de l'amour libre et de la révolution sexuelle. J'avais 20 ans, nous étions de toutes les luttes, proclamions toutes les libérations : celle de l'amour, de la femme, du pays, de la mari… Quelle effervescence ! Et quel militantisme, tantôt doux, tantôt rude, rarement violent… Nous envahissions les tavernes, jusque-là réservées aux hommes. La pilule contraceptive nous arrivait comme un cadeau du ciel. Je vivais dans une commune, huit garçons, six filles. Notre affranchissement passait par nos seins et nos sexes : nous libérions les premiers de leur

---

48. Ernesto Guevara dit le *Che* (le chef). Médecin, révolutionnaire cubain d'origine argentine qui joua un rôle majeur auprès de Fidel Castro.
49. Les premiers dans *Le nouveau désordre amoureux*, le second dans *La tyrannie du plaisir*.

armature, les seconds de leur disette. On s'envoyait en l'air, comme des crêpes. On partageait tout. Et puis… Et puis…

Et puis, je suis tombée amoureuse, vraiment amoureuse, exclusivement amoureuse. Un garçon est devenu si précieux à mes yeux que je souhaitais en silence, honteuse, disparaître avec lui. Sentiment étrange d'avoir attrapé une maladie… Impression coupable que j'avais le droit de faire l'amour mais pas d'être en amour… Du moins pas avec une seule personne. En cette période d'illumination par le sexe, ma liberté sexuelle entravait ma liberté amoureuse… Ma mère s'était sentie coupable d'avoir joui et elle s'en était confessée, soulagée. Je me sentais coupable d'aimer un être humain plutôt que quinze. Les confessionnaux ayant disparu, je n'avais pas de lieu où me libérer de ce péché d'amour.

Christiane, 55 ans

LIBERTÉ ! LIBÉRATION ! LIBERTINAGE !

Nous étions au cœur d'une ère nouvelle. Les anciennes normes, les brimades, les vieux tabous sexuels s'étaient envolés.

Nimbés de lumière et d'effluves de marijuana, nous nous glorifiions d'être des hommes et femmes sains, transfigurés par notre triomphe sur les anciennes croyances et scrupules en matière de sexualité. Tout le monde se référait au grand livre reichien, la plupart sans l'avoir lu. Cette adhésion mythique à un homme qui, à la fin de sa vie, menait des expériences sur une substance mystérieuse baptisée orgone révèle bien l'époque. Étaient-ce les exhalaisons de haschisch ou les *trips* d'acide qui nous rendaient si ouverts à l'orgone et à ses odeurs de sexe et si réceptifs aux « accumulateurs d'orgone », ces boîtes censées guérir le cancer et l'impuissance sexuelle et nous rendre immortels[50] ? Il est assez curieux que des propos si insolites aient reçu une approbation aussi soutenue. À croire que ce discours tombait

---

50. Jean-Claude Guillebaud, *op. cit.*

pile poil. Il continue d'ailleurs de cartonner auprès des disciples les plus naïfs et les plus délirants. L'évangile reichien, rappelons-le, se résumait à croire que nuls perversion, pulsion de violence, possessivité, voyeurisme, pédophilie, jalousie, impuissance sexuelle, homosexualité, vol, meurtre ou trahison n'existent à l'état de nature…

L'ère de l'astre reichien

> L'individu sain n'a pratiquement plus de moralité en lui car il n'a pas de pulsions qui appellent l'inhibition morale. Ce qui subsiste d'impulsions antisociales est aisément contrôlable dès que les besoins génitaux de base sont satisfaits. Tout ceci apparaît clairement dans l'attitude de l'individu qui est parvenu à la puissance orgastique, laquelle consiste en la capacité de décharger complètement toute l'excitation sexuelle […] au moyen de contractions involontaires agréables au corps[51].

Simple et candide. Sympathique et quelque peu étriqué de rapetisser, au nom de la nature, la sexualité à son étroite composante physiologique et biologique (et masculine!) et d'occulter son rapport à la signification totale de la réalité vécue. Durant les années 1950, dans *Le meurtre du Christ*, Reich campe Jésus en une figure splendide de puissance orgasmique poussée à son comble. Étonnamment, comme le signale encore Guillebaud[52], ce livre sera le texte fondateur du mouvement *beat* puis du mouvement *hippie* et deviendra précurseur d'une spiritualité *new age* toujours bien vivante et, quant à moi, trop souvent abusive en ce début de IIIe millénaire. Le leitmotiv reichien : libérer le désir, rejeter l'ordre moral et ancien, congédier les interdits, jouir sans

---

51. Wilhelm Reich, *La révolution sexuelle*, Paris, éd. Christian Bourgeois, 1986 (1936).
52. Jean-Claude Guillebaud, *op. cit.*

entraves et sans loi. «La belle utopie dont l'erreur fut de croire qu'elle était sans conséquence.»

L'AVÈNEMENT DU NOUVEAU CONFESSIONNAL

Le véritable profit de la révolution sexuelle fut sans contredit l'arrivée de la pilule contraceptive. Entre sa venue et celle du sida, les hommes et les femmes ont connu l'euphorie et les sexologues se sont faufilés dans les chambres à coucher à la place des curés. Les normes anciennes, religieuses et rigides, ont été balayées par de nouvelles prescriptions hédoniques et épicuriennes tout aussi rigides. Il y a quelques années, Pascal Bruckner[53] évoquait cette époque avec une certaine nostalgie. Il rappelait le choc et le délice sans pareil qu'avait constitué le fait de voir sur grand écran des hommes et des femmes faire l'amour et montrer, enfin! impudiquement leurs organes sexuels… Mais, concluait-il, le discours de l'émancipation, en installant le sexe à la place du sentiment, s'était contenté d'inverser le discours puritain.

Dans ce trop-plein de béatitude sexuelle étalée, de délices érotiques dévoilés, d'extase possible, les femmes et les hommes, seuls ou en couple, ont exigé cette corbeille de jouissances. Mais encore faut-il pouvoir profiter de cette terre promise! Nombreux sont ceux qui éprouvent des ratés de fonctionnement. Quantités de femmes souffrent de troubles érotiques qui n'ont rien à voir avec ce fourre-tout qu'on a longtemps appelé frigidité. Mystérieuses difficultés venant du corps, de la tête, de l'enfance, du couple, de l'autre, de soi, des antécédents d'interdits et, parfois, du trop permis. Dans un essai passionnant, Isabelle Yhuel pose une question fondamentale en apparence toute simple:

---

53. Citation de mémoire imparfaite, prise dans *Le Nouvel Observateur*, me semble-t-il.

Comment faire quand la lutte est couronnée de succès, quand toutes les conditions se trouvent réunies pour jouir sans entrave et qu'on reste malgré tout plombée sur une rive où le plaisir, de façon incompréhensible, demeure inaccessible[54]?

Faut-il pour parvenir à l'orgasme avoir la foi? Et avec toutes ces idées préconçues qui prévalent encore à l'égard de la sexualité féminine (la femme est romantique, la femme attend…), on peut se demander à quoi elle devrait croire pour accéder au plaisir inconnu… Doit-elle suivre les bons guides? Être *sexually correct*, tel que nous l'indiquent depuis le milieu des années 1970 le bon docteur Birbaum[55] et son cortège de disciples? Ève et Adam sont désormais écrasés sous la lourdeur des rapports dévoilant l'art du bien baiser. Fraîchement piégés, sous la férule des dictateurs de la norme, les voilà qui se surveillent anxieusement, s'observent et s'évaluent. En conscrits de la nouvelle vague, ils ont fait profession de foi en de nouveaux dieux. Et plus ou moins consciemment, ils font les choses non pas pour s'harmoniser à leurs préceptes moraux ou par souci de mieux-être, mais pour se conformer. La mythologie sexuelle dominante: se définir par rapport à qui on veut séduire ou par rapport à qui nous séduit!

L'AVÈNEMENT DU BIEN JOUIR ET DU MAL JOUIR

Dans ce brouhaha arrive, comme un second pavé dans la mare, le fameux *Rapport Hite*[56]. Voilà une brique qui fait sourciller. On lui reproche son manque de rigueur scientifique. Méthodologie scientifique ou pas, les idées reçues en prennent pour leur rhume. Certains hommes ressentent une fracture du moi, d'autres sont

---

54. Isabelle Yhuel, *Les femmes et leur plaisir*, Paris, Éd. JC Lattès, 2001.

55. Joseph Birbaum, *Les joies de la chair*, Montréal, Éd. Sélect, 1977.

56. Shere Hite, *Le Rapport Hite*, Paris, Laffont, 1977. Le premier vrai pavé, d'une tout autre facture, reste sans contredit *Le deuxième sexe* de Simone de Beauvoir, publié une trentaine d'années auparavant.

soulagés de se voir dégagés de la responsabilité du plaisir féminin. Des milliers de femmes y déclarent préférer la masturbation et avouent simuler l'orgasme dans le rapport coïtal. Sourire en coin, les lectrices se reconnaissent, touchées, dans les innombrables témoignages de femmes de tous âges qui s'y livrent.

Le rapport Hite, qui sera suivi quelques années plus tard d'un *Rapport Hite sur les hommes*, aura constitué un moment de vérité, l'occasion de remettre en question simagrées et simulacres. Dans des groupes de femmes que j'animais, ce livre fut accueilli comme une bouffée d'air frais, acclamé. Rassurant et confortant de constater qu'on n'est pas seule, de lire à voix haute ce que nous savions toutes en catimini : l'orgasme coïtal est une espérance alors que la jouissance obtenue par caresse manuelle ou orale n'a plus de secrets pour la majorité d'entre nous. Pourquoi donc le rapport hétérosexuel de pénétration est-il si rarement orgasmique pour la femme ? Serait-ce parce qu'il appelle précipitamment l'éjaculation en servant d'abord l'excitation et la jouissance masculines ? Qu'on le veuille ou non, l'orgasme masculin met à peu près immanquablement fin à la rencontre érotique.

Il n'y a pas que des causes psychiques ou comportementales au manque à jouir. Il y a parfois l'ignorance. La médecine moderne se réfère à une anatomie du clitoris établie au siècle dernier quand elle ne compare pas sempiternellement le « petit organe » au « grand pénis ». La chirurgienne Helen O'Connor[57], du Royal Melbourne Hospital, a découvert que, telle la pointe visible d'un iceberg, le clitoris est la saillie palpable d'un volcan dont la plus grande partie est dissimulée à l'intérieur du corps. Pour sa part, l'urologue Jennifer Berman, directrice du Women's Sexual Clinic de l'Université de Boston, affirme que les médecins qui procèdent à des interventions chirurgicales dans la région pelvienne ne tiennent pas compte de la structure clitoridienne interne, risquant ainsi d'endommager son réseau nerveux. Que la jouissance soit perçue dans le vagin ou dans

---

57. Citée par Natalie Angier, *op. cit.*

l'utérus, profondément ou superficiellement, somptueusement ou timidement, le clitoris est LE conducteur d'électricité orgasmique. Il agit comme du bois d'allumage dont les propriétés sont de brûler vite et fort et d'enflammer le bois dur. Cet organe du plaisir, s'il n'est pas charcuté ou abîmé par le bistouri, reste vivant, dynamique et fonctionnel jusqu'à la fin de la vie.

L'AVÈNEMENT DE LA SEXOLOGIE MODERNE ET STATISTIQUE

Avec la révolution sexuelle, on entreprit d'assimiler la sexualité à une fonction, ce qui, constate Jean-Claude Guillebaud, n'avait jamais été le cas auparavant dans l'histoire. L'idée de fonction, en introduisant forcément celle de dysfonction, charriait dans sa foulée l'évaluation quantitative et la notion de performance sexuelle. La norme, autrefois morale ou culturelle, cédait le pas aux prescriptions physiologiques et mathématiques. Combien de fois ? Combien de temps ? Combien d'orgasmes ? Combien de positions ? Combien de partenaires ? Quel type de stimulation ? d'activités ?... Et vlan ! Prouesses et échecs sexuels étaient désormais homologués par la science ! Temps sibérien des sexologues cliniciens et de l'orgasme torride... si conforme ! La culpabilité change de visage. Dorénavant, on est fautif de mal fonctionner, de fonctionner différemment, de mal « performer », de « performer » autrement, de jouir trop peu, trop vite ou trop tard et bientôt, de jouir trop, tout simplement. Après les femmes anorgasmiques, on diagnostique les orgasmiques précoces. Les éjaculateurs tardifs font concurrence aux prématurés. Les hypersexuels et les hyposexuels s'envient mutuellement. De l'intérieur même du prêchi-prêcha sexologique, on reconnaît qu'on a imposé aux gens « des normes, des chiffres, des points de comparaison qui font qu'ils s'interrogent et que les médias ont fait naître une énorme demande dans tous les domaines et particulièrement sur le plan sexuel[58] ».

---

58. Gilbert Tordjman cité par Jean-Claude Guillebaud, *op. cit.*

Pour régler certains problèmes, on en crée de nouveaux. Avec en tête de peloton Masters et Johnson, la sexologie a surtout été une science de mesure de l'orgasme. L'obligation d'objectivité et la prétention scientifique ont forcé à étudier les phénomènes observables et mesurables plutôt que la façon dont sont ressentis les choix et comportements. Plus la sexologie recensait et décrivait la sexualité, par le menu détail, plus elle prescrivait, contribuait à désigner une « bonne et adéquate sexualité » et à imposer des standards.

Force est de reconnaître que beaucoup de lumière a jailli de tous ces laboratoires de recherche et d'expérimentations corporelles et que des connaissances précieuses furent acquises quant à l'ensemble des composantes sexuelles humaines. Cela est considérable. Énorme même. Révolution sexuelle et sexologie méthodique ont sorti le sexe de sa tanière et de son ambiguïté. Maintenant libre et valide, il entrait dans les écoles, les réunions de famille, le monde scientifique et les cercles de sages. Pris au sérieux, il s'est révélé bien plus complexe qu'on ne le soupçonnait. Assoiffé d'imaginaire, de fantasmes, d'insaisissable et d'illusions, l'hygiène, l'information et l'efficacité ne lui suffisent pas. En fait, plus on le décortiquait, plus nous échappait sa complexe signification allégorique. Claude Crépault[59] l'a bien compris en mettant en perspective la contribution de la neurophysiologie, de l'endocrinologie, de la biochimie, de la philosophie, de la sociologie et de la psychanalyse à la compréhension de l'univers érotique.

Même si elle met en relief la question du plaisir par rapport à celle de la souffrance, la sexologie ne peut pas constituer une spécialisation médicale mineure. En tout cas, celle à laquelle je consens croit au rêve, pas juste à des normes mathématiques. Elle ne peut pas être une mode passagère puisqu'elle engage l'humanité avec sa capacité de bonheur.

---

59. Auteur et coauteur de nombreux ouvrages aux Presses de l'Université du Québec. Entre autres: *La complémentarité érotique, La sexualité humaine: fondements bioculturels, L'imaginaire érotique et ses secrets* (déjà cité).

Ce qui caractérise l'Occident moderne, dit Foucault sans ménagement à son égard, c'est d'avoir fait fonctionner les rituels de l'aveu dans des schémas de régularité scientifique, d'être parvenu à constituer une « immense et traditionnelle extorsion d'aveu sexuel dans des formes scientifiques ». La sexologie, friande de joie et de vérité, aurait inventé une jubilation toute neuve : le plaisir à décortiquer le plaisir, à le découvrir et à l'exposer, à se laisser fasciner par ses découvertes et à captiver les autres en les dévoilant. Bref, un plaisir spécifique au discours sur le plaisir.

> Ça n'est certes pas dans l'idéal promis par la sexologie médicale d'une sexualité saine, ni dans la rêverie humaniste d'une sexualité épanouie, ni dans le lyrisme de l'orgasme et les bons sentiments de la bio-énergie qu'il faut chercher les éléments d'un art érotique qui serait lié au savoir sur la sexualité puisqu'il ne s'agit là que de son utilisation normalisatrice[60] […].

Reste que la sexualité s'est constituée comme objet d'étude dès lors que des lieux de pouvoir et de savoir l'ont pressentie comme «objet» possible. En retour, si le pouvoir a pu la prendre pour cible, c'est parce que des techniques de savoir, des procédures de discours ont été capables d'investir certaines de ses facettes.

LE TRIOMPHE DE L'*ORGASMOLOGIE*

Entre les années 1960 et 1980 pullulent les publications sur l'art de bien jouir. En même temps que les femmes se pressent chez les spécialistes pour péché de non-jouissance, le répertoire des orgasmes féminins s'allonge à l'infini : clitoridien, vulvaire,

---

60. Michel Foucault, *Histoire de la sexualité I. La volonté de savoir*, Paris, Gallimard, 1976.

vaginal, combiné, éjaculatoire, post-éjaculatoire réflexe, utérin, *pointgéiste*, multiple, simultané, et j'en passe. C'est à y perdre son latin… et son orgasme. Et pourquoi pas l'orgasme extra-utérin, tubaire ou ectopique ? Mental, spirituel, transcendantal ? Extra-sensoriel, ectoplasmique et utopique ?

Il n'y a pas si longtemps, les femmes qui jouissaient s'en repentaient, agenouillées devant un homme d'église dans un sombre isoloir… Aujourd'hui, elles se blâment de ne pas avoir le bon orgasme ou elles courent après le plus récent inventorié, celui qui vogue en tête de tous les palmarès. Celle qui jouit par stimulation clitoridienne veut du vaginal, la vaginale revendique l'orgasme utérin, celle-ci convoite l'orgasme éjaculatoire et celle-là qui frissonne d'une kyrielle d'orgasmes veut autre chose encore ! En fait, on *buzze* après l'orgasme le plus *in* en ville, le dernier cri, le plus *hot*, le plus normal, le plus *femelle*, le plus gratifiant pour l'homme, celui qui sauve l'honneur et garantit le bonheur… Quant à celles qui n'y accèdent pas, encore trop nombreuses, elles en espèrent un, un seul, désespérément, à l'aide de n'importe quel jouet sexuel prometteur.

On peut avoir l'orgasme alerte, en ressentir tout un cortège (ce qui est assez facile pour plusieurs par la masturbation ou à l'aide d'un vibrateur) et se sentir inassouvie après. Par ailleurs, il arrive qu'une jouissance chancelante s'accompagne d'une intense satisfaction et d'une délicieuse plénitude relationnelle. À trop viser quelques secondes de détumescence, on passe à côté du plaisir. J'ai rencontré quantité de femmes «orgasmiques spontanées» mécontentes et insatisfaites de leur vie érotique et de leur relation. L'orgasme n'est pas une police d'assurance contre la déception amoureuse et ne comporte aucune garantie de bonheur.

Allons-y maintenant d'une apparente contradiction : l'orgasme vaginal n'existe pas et seul l'orgasme vaginal existe. Physiologiquement, les sensations qui accompagnent l'orgasme – vagues, spasmes et contractions harmonieuses – sont toujours ressenties, quelle que soit la zone stimulée, au niveau du tiers externe du vagin. Essentiellement, deux choses varient : d'abord la région stimulée qui fait céder la digue, et ensuite l'impression subjective de bien-être et de satisfaction qui suit la sensation. Certaines décrivent un sentiment de moindre plénitude après un orgasme obtenu par stimulation clitoridienne et une impression d'extase plus profonde et plus intégrale si la jouissance accompagne la pénétration ou en dérive. Pourtant, si on mesurait l'acuité physiologique des sensations, l'orgasme masturbatoire serait vraisemblablement le plus strident. Toutes les femmes hétérosexuelles qui aiment le sexe aiment la pénétration. Ou presque… Mais toutes n'en jouissent pas jusqu'à l'orgasme.

Je disais plus tôt que la valeur de l'or est déterminée deux fois par semaine par une poignée de décideurs dans un petit bureau. Il en va semblablement de l'orgasme et de toutes nos relations humaines. Le « bon » orgasme est aussi une construction de l'esprit qui s'élabore à partir de nos attentes intrapsychiques et du modèle imposé par la société. Je suis d'avis que le « bon » orgasme résulte d'une alchimie de plaisir et que la cote que la personne lui attribue, selon qu'elle l'expérimente en solo ou en duo, avec ou sans sentiment amoureux, lui appartient. La plénitude érotique ne réside pas dans le plaisir instantané. Elle a un sens profond, abstrait et symbolique, et sous-entend une félicité engendrée par une identité sexuelle sereine et solide, par la libre communion érotique et sexuelle ainsi que par l'aptitude à s'abandonner à la volupté. Tout cela est loin, vous en conviendrez, d'altérer le bonheur du débondement orgasmique.

Ce sont l'orgasme-devoir, l'érotisme programmé et le plaisir obligé qui débouchent inéluctablement sur le néant post-coïtal !

AU DÉTOUR : LE SEXE MORTUAIRE

Le sexe métaphoriquement mortifère dont on vient de parler à profusion ne saurait nous faire oublier qu'après un bref passage dans le meilleur des mondes survint le sexe réellement mortuaire.

C'est dans un climat de contre-révolution sexuelle que le sida est apparu dans les sociétés occidentales. Par-delà la maladie mortelle qu'il personnifiait, il constituait un invraisemblable défi : apparier l'idée de mort et l'idée de plaisir, non pas dans la symbolique érotique, mais dans la vie sexuelle concrète et réelle. On supposa que le spectre de la mort remettrait en question la suprématie individualiste et la liberté sexuelle. Foin ! L'ego, ferment même de la modernité occidentale, ne se laisserait pas aplatir par l'ombre d'Orphée.

L'ampleur de la menace et l'obligation de se doter d'une protection efficace interdisaient que l'on s'embarrasse de pudeur, de suaves images ou d'allusions naïves. Pour obtenir des résultats palpables, on n'y allait plus par quatre chemins dans les approches préventives. Au diable les habituelles précautions liées à l'âge ou à la maturité des intéressés. Un chat s'appelait désormais un chat, une sodomie une sodomie, une fellation une fellation. Toute cette crudité délibérée a engendré un nouveau discours sexuel : omniprésent, obsédant, froid, clinique, constamment légitimé par la clameur de la mort possible. Les slogans de l'heure sont en latex :

Mets un préservatif et fais ce que tu peux !
Mets-en deux et fais ce que tu veux !
Le condom est élastique, il étire la vie !
L'amour : Ça se protège !

Pourtant, note Foucault :

Le pacte faustien dont le dispositif de sexualité a inscrit en nous la tentation est désormais celui-ci : échanger la vie tout entière contre le sexe lui-même [...]. Quand l'Occident, il y a bien longtemps, eut découvert l'amour, il lui a accordé assez de prix pour rendre la mort acceptable ; c'est le sexe aujourd'hui qui prétend à cette équivalence, la plus haute de toutes[61].

Les sociologues prédisaient une autre révolution sexuelle, un remue-ménage, un retour vers la prudence, la monogamie et les valeurs traditionnelles. Erreur ! Qui plus est, ce n'est pas la sexualité que le sida a amené à considérer comme dangereuse, c'est l'autre. Loin d'ébranler l'individualisme, cette menace l'a, d'une certaine manière, renforcé : occultons l'autre et organisons-nous pour jouir et pour profiter seul ! Jouissons en solo avec du matériel ou seul près de l'autre tout en se blindant de lui. La jouissance était au creux de la poigne de fer individualiste. Pas question de la laisser filer en douce.

On ne savait pas encore qu'Internet allait bientôt prolonger cette hégémonie, devenir l'outil individualiste suprême.

---

61. *Ibid.*

CHAPITRE 7

Aujourd'hui : Sexualité-Utilité

L'OBLIGATION

Les funestes effets de la répression sexuelle ont été largement soulignés. Depuis une vingtaine d'années, on commence à pointer du doigt les conséquences perverses d'une révolution sexuelle qui n'a été accompagnée ni d'une révolution culturelle fondamentale ni d'une mise en place d'un code déontologique de remplacement. Nous nous trouvons aujourd'hui devant des hommes et des femmes qui, loin de souffrir de stase ou de privation libidinale, pâtissent d'un manque de signification sexuelle…

> *Ma grand-mère Marie avait le droit d'être en amour mais pas de le faire. Christiane, la boomer-hippie-féministe qui me sert de mère avait le droit de faire l'amour mais pas d'être en amour avec une seule personne. Moi, à 20 ans, j'avais, il me semble, tous les droits : étudier, m'amuser, être amoureuse et faire l'amour. Peut-être ai-je connu le meilleur des mondes… Si c'est le cas, il a été bref : un court épisode durant lequel nous cherchions un point d'équilibre entre la grande noirceur de ma grand-mère et le sexe trop lumineux de ma mère. En même temps que ma «maturité» sont arrivés le sida, la peur, la difficulté de plus en plus grande d'être en couple.*
>
> *Je vis seule avec Jade, ma fille de 10 ans. Je rêve d'une vie de couple moelleuse, de partager des tâches et des plaisirs avec un homme, mais je suis de moins en moins capable de faire de la*

place à un éventuel conjoint. Je n'ai pas de problème à faire des rencontres, j'ai de la misère avec la suite, à transformer cela en relation. Commencer, c'est facile. Je ne sais pas comment faire durer... Les «prospects» que je rencontre, dans mes rares moments libres, semblent comme moi des virtuoses du commencement. J'ai eu deux relations d'assez longue durée, cinq ans et trois ans, des dizaines d'amants, quelques infections transmises sexuellement, trois avortements. Je suis dans une période de vide total sur les plans sexuel et affectif. Plutôt que de me taper encore un début de néant, je préfère m'abstenir.

Si trop d'interdictions ont sapé le désir de ma grand-mère, si trop d'amour libre a épuisé celui de ma mère, je ne sais trop ce qui a miné le mien, mon désir... Mes relations avec les hommes sont, bien souvent, tellement dépourvues de sens, tellement insignifiantes dans le sens littéral du terme...

Sophie, 34 ans

Je me demande ce que Reich, qui fut si obnubilé par sa vision d'une société répressive, penserait du désarroi de Sophie. Le visionnaire a été incapable d'imaginer ce monde qui, loin d'interdire le désir sexuel, l'exacerberait au plus haut point. Rirait-il jaune en constatant que les travailleurs d'aujourd'hui ne souffrent pas de la privation du nécessaire mais d'une boulimie de superflu et d'inutile, sexuellement et autrement ? Se désespérerait-il de constater que la révolution sexuelle a, au bout du compte, bien profité au système en place[62] ? L'obédience à de faux besoins, toujours plus rutilants les uns que les autres, le plus récent poussant le précédent au rebut, n'a rien de très révolutionnaire. La révolution sexuelle aura-t-elle été essentiellement verbale et langagière ? Une logorrhée de paroles et de mots succédant à l'aphonie ? Aura-t-elle consisté à passer vingt ans à parler de sexe et les 20 années suivantes à causer cul ?

---

62. Michel Dorais, *Les lendemains de la révolution sexuelle, op. cit.*

CUL ! CORPS ! *CASH !*

Avez-vous récemment jeté un coup d'œil aux petites annonces de rencontre des journaux ou d'Internet ? Je me demande parfois si ce sont de vraies personnes, de vrais êtres humains, qui cherchent à rencontrer un partenaire amoureux ou érotique. Tantôt, on dirait un fantasme à la recherche d'une chimère, une excroissance charnelle en quête d'un réceptacle corporel, un engin à fiche mâle furetant pour une fiche femelle ou inversement. On s'offre comme objet sexuel et corporel, comme instrument au service d'autrui.

Le dispositif de la sexualité s'imbrique à l'économie par de multiples relais dont le principal est le corps. Un corps qui bouffe et qui sue, qui souffre et qui jouit, qui produit et qui consomme. L'industrie du corps guette le corps, elle le traque et se déploie autour de lui, tentaculaire, comme jamais auparavant. Elle atteint désormais les hommes et les enfants, continue d'exercer une emprise totalitaire sur les femmes et de plus en plus sur les fillettes et les vieux *perve*, comme disent les ados, c'est-à-dire les hommes de plus de 40 ans ! Les *Cendrillon* obéissantes, soumises au ménage et au récurage, se sont converties en petits chaperons de chair ferme et lustrée à exhiber, à remodeler, à *botoxer*, à plastifier, à dégraisser… Les jeunes filles modernes crient au scandale à propos de l'excision tout en examinant le plus sérieusement du monde la possibilité de se faire découper pour se faire rapiécer…

Voilà que la laideur, qui n'est rien d'autre que la non-conformité aux stéréotypes culturels de beauté, est impudique. Là est la disgrâce, la hideur suprême, la nouvelle obscénité. Quand on n'est pas parfaitement beau, belle, jeune et ferme, le regard d'autrui ne se pose sur soi que pour se profaner sur notre mocheté. Chasse aux pattes-d'oie, aux rides du bonheur, aux petits bourrelets, aux seins et aux lèvres qui se dégonflent, aux teints trop foncés ou trop clairs, aux fesses plates, aux ventres rebondis…

Les traces de vie ne sont plus admises ! On ne s'offre plus avec son corps fragile, patiné et vibrant. On ne s'abandonne pas à l'émotion. Ce ne sont pas les personnes qui se donnent, ce sont les corps qui s'exhibent et se répandent, inhabités, soumis au juge Regard, narcissiques, égocentriques, seuls.

Je comprends mal qu'on combatte si peu cette névrose de recours à la chirurgie esthétique. En Chine, on couronne maintenant chaque année une Miss *Renzao Meinu*, c'est-à-dire une Miss chirurgie esthétique[63], reine de la beauté artificielle ! Pour être admises au concours, les filles, qui sont pour la plupart dans la vingtaine, doivent présenter un certificat médical témoignant de leurs nombreuses transformations plastiques. Une concurrente admet que, à part son visage, tout son corps a été transformé, qu'elle a beaucoup souffert, mais qu'elle a réalisé son rêve ! Comment peut-on aspirer, au prix d'autant de sacrifices et de souffrances, à devenir une *Miss Fausse Beauté*? On se croirait à des années-lumière de la Chine de Mao, des habits bleus unisexe et de la lutte des classes !

Ce que je comprends cependant, c'est la véhémence de la pression, voire de l'oppression sociale agissante et efficace. Je m'explique mal que les femmes occidentales, prétendument autonomes, consentent à se faire charcuter, à supporter le martyre, à risquer leur santé pour se conformer à d'impossibles standards et pour plaire à un homme, parfois de passage. Et cela, tout en s'indignant des mutilations génitales imposées aux femmes dans d'autres cultures. Lorsque je demandai à une jeune professionnelle qui pâtissait atrocement d'une récente augmentation mammaire quelle différence elle faisait entre cette mutilation qu'elle venait de subir et une autre comme la clitoridectomie, elle me répondit du tac au tac : « La différence est flagrante ! Là-bas, c'est imposé par leur culture ; ici, c'est un libre choix. » Hum… Pas certaine que le choix soit si libre quand le poids du stéréotype est si violemment exercé.

---

63. Tiré d'un article de *La Presse*, Montréal, 19 décembre 2004.

Au demeurant, savez-vous que la *nymphoplastie,* une chirurgie visant à corriger les lèvres de la vulve, est de plus en plus en demande et de plus en plus pratiquée ? Vérification faite à la suite de nombreux courriels de filles âgées de 12 à 20 ans qui m'ont écrit, inquiètes de l'aspect inadéquat de leur vulve ! Ces adolescentes, anxieuses de constater que leur sexe ne ressemble pas précisément à celui des stars de la porno, pensent à se faire couper un bout de muqueuses vulvaires ou à se les faire remodeler. Si cela n'est pas une forme de mutilation génitale, dites-moi ce que c'est ! Comment expliquer que dans une société si sexualisée et prétendument libérée, les filles ne sachent pas encore que les vulves diffèrent les unes des autres autant que les visages et que voilà tout le charme de l'unicité ?

Aux États-Unis, environ 2000 bébés filles subiraient chaque année une correction chirurgicale consistant à réduire leur clitoris jugé trop proéminent. Cela, non pas en raison de croyances religieuses ou culturelles, mais parce qu'on a jugé le petit organe trop volumineux[64] ! Alors, on les standardise en les taillant, en les repliant ou en les amputant ! En Amérique, on appelle correction chirurgicale cette forme de clitoridectomie. Il semble que ce type d'intervention, assez loin de l'idée qu'on a de la médecine moderne occidentale, soit monnaie courante. Sur quels critères se base-t-on pour décider qu'un clitoris est surdimensionné ? Tout ce qui sourit à l'extérieur des douces et discrètes lèvres vulvaires est-il passible d'ablation ? Quel est ce monde de fous dans lequel on ouvre les bras à l'ambiguïté sexuelle des vedettes rock tout en les fermant à des nouveau-nés ?

Revenons à notre propos initial concernant le corps. La sexualité est omniprésente mais réservée : aux hétérosexuels jeunes, beaux, en santé, conformes… riches et bronzés… *botoxés* et implantés. Nous vivons pourtant sur une planète de plus en plus peuplée de personnes âgées, de gens fragilisés, d'homosexuels

---

64. Natalie Angier, *op. cit.*

inavoués ou frais sortis du placard, de pauvres et de teints blafards… Nous sommes tous hors normes ou sur le point de l'être. Et nous nous fendons en quatre à essayer, sans jamais y parvenir, de correspondre à des prescriptions qui collent à une infime minorité de la population.

Le recours aux chirurgies esthétiques est en hausse fulgurante dans le monde occidental et particulièrement en Amérique. Peut-on enfin s'opposer haut et fort? Clamer que le corps n'est pas une horreur à corriger et à améliorer par des liposuccions, augmentations mammaires, rehaussement des pommettes, blépharoplasties, épilations permanentes, gonflement des babines…? Comment éviter à des milliers de femmes et de filles de tomber à pieds joints dans l'illusion du nirvana post-chirurgical? En leur disant qu'elles y perdront leur unicité? Je connais deux sœurs dans la trentaine, deux accros de la beauté et de la conformité à tout prix. Elles étaient des contrastes en termes de schéma corporel jusqu'à ce qu'elles se soumettent au scalpel du même chirurgien pour de multiples corrections (nez, seins, ventre, cuisses et lèvres). Elles ont maintenant l'air de jumelles monozygotes. Regardez les femmes à faux seins à la plage: tous pareils! Des nichons sans personnalité! J'ai eu l'occasion de rencontrer une dizaine de personnes passées sous le même bistouri pour une correction du nez. Elles se ressemblent maintenant toutes, comme une goutte d'eau à neuf autres gouttes d'eau. Sans blague, il y a parmi elles un couple d'amoureux, ils passent depuis pour frère et sœur… (On se rend compte à quel point le nez donne le ton au visage!) Et quoi encore? Refaite, vous ne rencontrerez pas davantage le prince charmant! Remodelée, vous ne serez pas plus aimée! Avec des seins plus haut perchés et des nymphes plus courtes, vous ne jouirez pas plus! Aucun problème personnel ne peut se régler par un coup de scalpel. Enfin…!

Lorsqu'on les interroge, les fanas de la chirurgie esthétique disent s'astreindre à toute cette mascarade douloureuse juste pour leur satisfaction personnelle. Bien voyons donc ! Elles le font pour plaire et pour répondre aux standards culturels et sociaux d'esthétique, pour pouvoir porter, comme des lolitas, des vêtements microscopiques et des décolletés plongeants. Elles obtempèrent comme de bonnes petites pâtes. Le défi serait de se distancer des standards imposés ! Sur une vingtaine de femmes proches de moi, âgées de 25 à 65 ans, je peux compter sur les doigts d'une main celles qui ne se sont pas soumises au tyrannique scalpel. Et étonnamment, ce sont les plus âgées.

LE SEXE : INSTRUMENTAL ET MÉCANIQUE

Le corps, autrefois éthéré, sans organes sexuels, découpé comme un puzzle auquel il manquait quelques pièces majeures entre la taille et les cuisses, est devenu un sexe sur pattes, sans âme, coupé du corps, de la tête et du cœur. Un sexe infirme, amputé.

Récréation sexuelle oblige, l'autre devient une jauge, parmi d'autres, de sa propre performance. La sexualité, un lieu de non-rencontre, prémisse du vide, début de non-lieu et esquisse de non-histoire où la jouissance génitale, obligée et obligatoire, annule la joie d'être en relation. On nage dans l'antithèse du plaisir, dans une spontanéité d'apparat dégradée en mécanique qui aboutit parfois à un orgasme efficace sans réelle satisfaction. Le frottage techno remplace la caresse-détente et éloigne Éros de l'univers affectif. Comment remuer les mains ? Où placer ses lèvres ? Suis-je au bon endroit ? Quand se servir de la langue ? Dois-je avaler le sperme ? Que faire de ce doigt libre ?… On besogne pour ajuster tout l'attirail anatomique. C'est à se demander si l'élan amoureux et érotique culminant dans l'union sexuelle a déjà été un phénomène de conscience.

On est obsédé comme jamais, surtout entre hommes, par la taille de son engin. Bruckner et Finkielkraut[65] raillent leurs pairs

65. P. Bruckner et A. Finkielkraut, *op. cit.*

qui zieutent aux urinoirs publics ou dans les vestiaires la prestance pénienne de leurs camarades et qui, s'ils sont bien nantis, portent la serviette à l'épaule plus souvent qu'autour des hanches ! Petite révision : le pénis moyen fait autour de 10 centimètres au repos et environ 5 de plus au garde-à-vous. Messieurs, réjouissez-vous : le membre érigé du cousin gorille fait la moitié moins ! Inutile de rêver aux sirènes ensorcelées qui cabriolent au cul des baleines bleues dont le mâle est doté d'une gaffe de plus de 3 mètres ! Autres espèces, autres mœurs ; autres espèces, autres quéquettes !

La folie de la grosse queue ne suffit plus. La volupté utilitaire est désormais tout équipée en gadgets et jouets sexuels : pompes[66], drogues, aphrodisiaques, pilules à bander, huiles à réchauffer, *dildos*, pistons, machinettes, catins gonflables, *fourrables* et suceuses… Vu, de mes yeux vu, des catins pneumatiques en version asiatique, africaine ou occidentale : vagin chauffant, bouche trayeuse édentée, seins soyeux fraîchement injectés de solution saline (comme les fausses boules des vraies femmes). Coût : 13 000 $. Comble de félicité : elles ne parlent pas, se satisfont infailliblement des talents de baiseur de leur proprio et simulent merveilleusement l'orgasme. Vous partez en voyage ? La poupée dégonflée occupe encore trop d'espace dans votre baise-en-ville et puis, vous avez des valeurs, vous êtes fidèle ou à tout le moins monogame sériel ? Vous serez débordé, n'aurez pas le temps de fantasmer ou serez trop fatigué pour vous branler ? Qu'à cela ne tienne ! Vous n'avez qu'à confier votre membre épuisé à votre masturbateur de voyage qui vous pompera efficacement pendant que vous siroterez un scotch d'une main et enverrez de l'autre un courriel à votre épouse ! Avec tous ces attirails et attelages, les êtres humains deviennent de vrais petits polichinelles qui baisent ou se font baiser comme de dociles marionnettes !

---

66. La pompe pénienne est un appareil médical pour amener le sang dans la verge et créer l'érection chez des hommes souffrant d'incapacité érectile.

Pour les besoins d'une entrevue télévisée[67] portant sur l'invasion pornographique, nous avons visité un magasin à grande surface d'objets érotiques. Devant le roi des *dildos*, un vibromasseur du diable à trois branches, ultraperformant, équipé de billes et de languettes stimulant simultanément le clitoris, la région du point G et la zone anale, l'animateur remarque que personne ne peut jamais arriver à la cheville de cette virtuosité mécanique et procurer à l'amante autant de jouissances et d'excitation… Si l'on se rapporte à la stricte stimulation et à l'intensité «pointe d'aiguille» que peut procurer ce type de machine, c'est juste : nul être humain ne peut rivaliser. Mais par bonheur, jamais l'outil ne libérera chaleur et émotion humaines. Aucune machine, dispositif ou appareil ne pourra jamais attendrir, troubler, dilater une pupille humide, envelopper de douceur, étreindre avec enthousiasme, couvrir d'un regard affamé, dégager un parfum d'homme aimant et désirant. Les orgasmes ronflants du précis raccord mécanique ne génèrent pas la satisfaction érotique. Ils font du bien et procurent quelques régals que bien des femmes qualifient d'insignifiants. Insignifiants non pas au sens de pâlots, mais au sens étymologique de «dépourvus de signification». Le jouet génital efficace fait grimper à la vitesse de l'éclair l'excitation sexuelle puis fait s'écrouler cette charge rapidement et brusquement. La jouissance ressentie défoule et peut soulager. Elle rassérène rarement. Parfois, elle énerve.

On ne le répétera jamais trop : c'est le sens que revêt pour un homme ou pour une femme le fait de désirer, d'être désiré, de se voir désirable dans le regard de l'autre, d'aimer et d'être aimé, de partager son intimité, d'accueillir et d'être accueilli qui entraîne un réel sentiment de satisfaction érotique, affective et sexuelle, qui donne toute sa signification à l'intimité sexuelle.

---

67. *Les francs-tireurs,* émission de télévision québécoise diffusée sur la chaîne publique Télé-Québec.

En revanche, malgré toute cette encombrante pornographie, bien des femmes modernes et libérées ne connaissent pas l'orgasme. Marilyn Monroe n'est pas la seule à avoir fait jouir ses nombreux maris et amants en restant elle-même toujours en plan. À la suite de cet insurpassable *sex-symbol*, de nombreuses femmes sont de vraies mères Teresa du sexe : elles accueillent des amants solitaires, les laissent s'éclater et se secouer en elles. Est-il donc tellement plus difficile pour les femmes que pour les hommes de parvenir à l'apothéose ? Non. Oui, si la femme ne prend pas sa sexualité en mains. L'anthropologue Helen Fischer avait constaté il y a belle lurette que les femmes qui ont des orgasmes multiples ont un dénominateur commun : elles sont responsables de leur plaisir et dans le concerto pour deux s'arrangent pour négocier des positions physiques et des angles mettant le clitoris à profit.

> Un film qui montre l'héroïne gravir tout le crescendo de la volupté et de l'extase bloquée contre un mur, à la façon du *Dernier tango à Paris,* ne peut avoir été mis en scène par une femme[68].

Hélas, j'affirme que oui. Un tel film pourrait avoir été mis en scène par une femme. Une femme qui a bien assimilé sa leçon : tout faire pour gonfler l'ego de son mâle en même temps que sa queue, pour être ce qu'on lui ordonne d'être, pour jouir comme il est prévu qu'elle jouisse. Faire semblant, se conformer à ce qu'on attend d'elle et se soumettre avec déférence… Que celles qui se reconnaissent interrogent leur propension masochiste ! Que ceux qui s'y retrouvent examinent le cadeau empoisonné qui leur est offert !

Finalement, en déconstruisant la machine sexuelle, on s'aperçoit quand même qu'il reste des lambeaux d'humanité dans l'engrenage. Nous sommes toujours des êtres humains, animés

---

68. Natalie Angier, *op. cit.*

de cycles et d'intervalles émotifs, affectifs, physiologiques. Il nous arrive, quand nous contactons cette humanité engourdie, d'éprouver de la sensibilité et même de faire montre d'idéalisme et de romantisme. Même si, note Allan Bloom, « être romantique aujourd'hui, c'est un peu comme cultiver sa virginité dans une maison de passe. Les hommes et les femmes d'aujourd'hui ne s'aiment plus : ils ont des relations[69] » !

C'est vrai qu'« avoir des relations », c'est moins intéressant que vivre sa sexualité, mais ne pensez-vous pas, monsieur Bloom, qu'entrer en relation, c'est déjà pas mal ? Ils se contentent si souvent, ces hommes et ces femmes, d'entrer en collision !

LE SEXE-MARCHANDISE

Internet, *sex-shop*, échangisme, troc sexuel, films pornos, émissions de télé de cul, danses contact, salons de massages spéciaux, ghettos sexuels, enclos génitaux, carrés de sables porno, branlettes intersidérales, partouze, voyeurisme virtuel, sexe anal, bestial, scato, nécro, pédo, géronto, sado, maso…. Tout est offert, tout est accessible. Et tout se vend ! Je me demande bien ce qu'on vendrait à des personnes dont les désirs sexuels, affectifs et amoureux seraient comblés…

Tout ce qui est sexuel prend en Occident une tournure *business*. Même les grandes manifestations à connotation humanitaire, les *Gay Prides* ou défilés de la fierté *gay* (manifestations publiques des groupes homosexuels et homophiles), prennent l'allure d'entreprises de l'industrie du spectacle, planifiées, commanditées et rentabilisées. Personne n'a idée du chiffre d'affaires global des industries et services rattachés, directement ou indirectement, au marché sexuel sur l'ensemble de la

69. Allan Bloom, *L'amour et l'amitié,* Paris, Éd. Fallois, 1997. L'auteur nous y convie à revoir nos Grecs qui nous rappellent que l'amour est indissociable d'une quête de vérité qui n'a rien à voir avec ces planificateurs du désir et ces techniciens pour libidos en rade.

planète. On le devine gigantesque. L'enchère des services sexuels s'affiche, se diversifie, se mondialise.

> La compétitivité s'évalue à longueur de magazines, le noma-
> disme amoureux s'accélère et le temps d'usage des corps
> raccourcit [...]. Le tourisme sexuel correspond assez exac-
> tement à une « délocalisation du désir » et la prostitution
> outre-mer impose un « dumping » érotique[70].

La logique de nos sociétés tournées vers l'individu occulte les rapports de force. Le fait qu'il y ait moins de règles et de statuts n'empêche pas les riches d'être de plus en plus riches, les pauvres d'être de plus en plus pauvres, les faibles de plus en plus faibles, les puissants de plus en plus puissants. La pédophilie, notamment, en profite pour exploiter au maximum les possibilités que lui offre l'absence d'interdits. « J'ai des besoins. Je profite de la société telle qu'elle est pour les assouvir », pense, consciemment ou pas, le prédateur d'enfants. Faut-il, pour prendre la juste mesure de ce système, se retrouver devant des événements médiatiques telle la sordide histoire de Guy Cloutier, immense imprésario québécois du monde du spectacle, qui vient de s'avouer coupable d'avoir agressé sexuellement durant des années des enfants sous son aile ? L'enfant est au cœur du système capitaliste. Il représente un marché du monde du spectacle, vestimentaire, alimentaire, télévisuel, éducatif, sportif et sexuel.

Une jeune fille de 15 ans dont les parents désespérés viennent de me contacter vit un véritable cauchemar. Pour faire plaisir à son petit ami, elle a eu, en sa présence, des jeux sexuels avec une copine. C'est une chose absolument déplorable qu'elle se soit prêtée à cette séance strictement pour satisfaire la fantaisie du copain. Cela s'est passé une seule fois : elle s'est sen-

---

70. Jean-Claude Guillebaud, *op. cit.*

tie utilisée et l'expérience l'a dégoûtée de son *chum* avec qui elle a ensuite rompu. Elle n'était pas au bout de ses peines. Ses parents ont reçu par courrier des photos des scènes en question : la séance a été filmée à son insu et la famille est maintenant menacée de retrouver le tout sur Internet… Drôle d'époque que celle où, croyant vivre l'intimité érotique, on s'expose à se retrouver les quatre fers en l'air sur l'écran d'ordinateur de millions d'internautes.

Tristement, la sexualité n'est pas que produit de marchandage, elle est aussi performance.

LE SEXE-PERFORMANCE

Plus la sexualité est mécanique, prévisible et répétitive, plus on s'éloigne du plaisir, de l'érotisme, de la conscience. L'aptitude à « fonctionner » génitalement, comme un bon petit chien qui s'agite et frétille sur le premier poteau venu ou sur la première jambe reniflée, est inversement proportionnelle à l'aptitude à penser. Cela fait l'affaire de bien du monde, en particulier de ceux qui tiennent les cordons de la bourse du sexe. Happé par la soif de « performer », on finit par perdre de vue ses désirs profonds, puis par les étrangler et étouffer toute créativité et spontanéité érotiques.

L'orgasme étant la mesure de réussite d'une relation, atteindre le dernier au répertoire intronise au rang de champion de la norme en matière de baise. Pour l'homme, l'exploit consiste à être une bonne machine distributrice d'orgasmes, ou plutôt, à s'imaginer tel… Ça rend le chéri si heureux que les femmes n'hésitent pas à lui offrir le spectacle de cette délectation. Il se perçoit bon baiseur, bon amant, bon bandant si l'autre jouit bien, fort et beaucoup. Donc, elle doit jouir, bien et fort et beaucoup pour lui éviter une fracture du moi. On est à des lieues du lâcher prise, de la sensualité, de la fête. Une fillette d'environ 10 ou 11 ans me confiait un jour :

Ma mère jouit tellement quand elle couche avec son chum *à la maison. C'est infernal de l'entendre hurler… Ça m'écœure et ils m'empêchent de dormir…*

Permettez-moi de me demander au passage où est allée la pudeur transgénérationnelle ? Laisser deviner à ses enfants qu'une femme ou un homme existe derrière le parent, je veux bien. Mais leur casser les oreilles avec son chahut érotique et les éclabousser de ses voluptés… il y a de la marge ! Revenons à notre histoire. La rugissante maman me confia, lorsque je la rencontrai pour la sensibiliser à la notion de discrétion, n'avoir jamais eu d'orgasme autrement qu'en se masturbant, toute seule. Là encore, allons donc y comprendre quelque chose ! Toutes les femmes criardes ne font pas de cinéma. Mais il y a des femmes qui prennent leur pied silencieusement.

Et puis, avec cette folie de haute voltige érotique, je me trouve régulièrement devant des adolescentes qui ne savent pas où est leur clitoris, mais qui cherchent désespérément leur point G ; devant des ados qui se demandent s'ils sont impuissants, veulent du Viagra ou cherchent des pompes péniennes parce qu'ils ont arrosé une fois ou deux à l'improviste… Certains passent des nuits dans des *raves* à consommer de l'ecstasy et, pour pouvoir bander solide au matin, avalent la petite pilule bleue piquée à papa ou à grand-papa…

Avec le Viagra, on a fini de dire adieu à la sensualité et on consacre la sacro-sainte fausse équation bandaison-virilité. La réalité est occultée : le Viagra boursoufle le membre, point final. Il ne gonfle ni le désir ni le plaisir. Bon, d'accord, je concède qu'il enfle un peu l'ego, si c'est dans la bite que celui-ci loge. On assiste à un mouvement de *viagramania* : dans les publicités québécoises, des hommes, de toutes origines ethniques et de tous âges, carburent au Viagra pour faire monter leur timide fusée. Ils chantent à tue-tête sous la douche, explosent d'un indicible bonheur, comme si amplifier leur fonction érectile déterminait l'essence même de leur virilité et le sens de leur vie.

Si la pornographie est une « distorsion de la femme », la préoccupation des hommes pour une sexualité définie par la taille, la vigueur et la robustesse de leur pénis est une forme de pornographie, une sexualité masturbatoire dans laquelle la notion de plaisir mutuel et d'intimité est d'une importance secondaire, ou même étrangère et menaçante[71].

Certains hommes, même ceux dont la brioche autour de la ceinture obstrue la vue, n'ont d'yeux que pour leur sexe. Ils ne se définissent et ne se sentent vivants que par ce petit bout de chair. Je concède que les femmes peuvent, elles aussi, être sensibles à cette partie de l'anatomie masculine, mais celle-ci, dans leurs rêves et fantasmes, n'est jamais coupée de l'être humain qui la porte.

LE SEXE-CARBURANT

C'est plus fort que moi, je voudrais les baiser toutes. J'ai eu plus d'une centaine d'amantes, d'aventures. J'en aurais voulu des milliers. Je suis incapable de rencontrer une femme qui m'attire par un aspect ou un autre sans vouloir la posséder. Le problème, c'est que toutes les femmes m'attirent... ou presque. Parfois, je me contente de jouer le jeu de la séduction jusqu'à ce que je sois certain que je peux, si je le veux, amener cette femme au lit et je me retire... À travers cela, des femmes qui ont vraiment compté pour moi, il y en a eu trois ou quatre seulement.

La dernière a été très importante. Elle me disait que je contemplais ma queue dans la pupille des femmes que je désirais...

71. Anthony Clare, *Où sont les hommes ? La masculinité en crise*, Montréal, Éd. de l'Homme, 2004.

Elle me faisait vraiment suer, elle m'énervait, mais je l'aimais profondément tout en étant en lutte avec ma boulimie de conquêtes. Elle m'aimait aussi et c'était assez merveilleux. Durant les trois années de notre relation, j'ai eu deux petits écarts : un exploit d'ascétisme pour moi. La première fois, elle a passé l'éponge en m'expliquant calmement qu'elle ne pourrait faire longue route avec un séducteur compulsif de mon acabit. J'ai bien compris son message : « Tu te soignes ou je te quitte ! »

Un an après, nous filions le parfait bonheur, j'avais un peu oublié tout cela et j'ai flanché une seconde fois. J'ai cru qu'elle me pardonnerait, nous nous aimions si profondément... Mais rien à faire : elle m'a quitté. Je la regrette. Terriblement. Je regrette la qualité de notre lien. Et je regrette d'autant plus que l'incartade qui a déclenché notre rupture était sans aucune importance pour moi. Redevenu « célibataire », je n'ai jamais revu la fille en question, qui ne m'intéresse absolument pas. Pour une rechute d'un soir, j'ai perdu l'essentiel. Je dis rechute parce que c'est ainsi que je me vois : un dépendant à une drogue pour laquelle j'ai flanché...

Pierre, 42 ans

Hypersexualité ? Je ne crois pas. Boulimie de nouveauté, de cul tout neuf, de seins inconnus, de vagins à envahir, de femmes à prendre à leur mari pour un moment. Carence affective, inaptitude relationnelle et, sans doute, insécurité personnelle et fragilité d'identité sexuelle.

LE SEXE *RAPIDO TRISTO*

Exigez tout, tout de suite ! Cul sec, le sexe ! Tout avaler, tout de suite !

L'érotisme est court-circuité par l'expérience rapide ; le sexe est une denrée que l'on consomme vite et mal. On se séduit un peu, on baise. Parfois, on ne se séduit même pas, on baise quand même, on «vient» ou on fait semblant. L'attente, la modulation du désir, l'anticipation, le rêve, le fantasme prolongé : connais pas. Obsolète donc le plaisir de l'expectative, de se languir pour l'autre, de mouiller jusqu'à l'inondation, de durcir jusqu'à l'implosion… Surannés la découverte graduelle, la parole amoureuse, le dévoilement de palier en palier, le dénuement à petits pas, la dégustation à petites lampées. Finie la mouvance érotique au ralenti ! On ne s'attarde plus, si merveilleux que soit le trajet : on fonce droit au sexe !

Il m'arrive de me demander si le retour de la chasteté qui prend de l'essor chez certains jeunes et aussi chez des adultes ne résulte pas d'une lassitude du devoir jouir à tout prix. On commence à constater que des personnes sont si désabusées qu'elles envisagent de se passer, même à long terme, de sexualité. Ce sont souvent des garçons et des filles qui ont été initiés précocement à la sexualité, qui se sont prêtés, sans consentement profond, à toute une panoplie d'expériences, qui ont perdu leurs illusions en même temps que quelques plumes… Le nombre d'hommes qui n'ont plus envie de garer leur queue quelques instants ici ou là augmente, et le nombre de femmes qui en ont assez de leur servir d'entrepôt-minute augmente aussi[72].

LE SEXE JUVÉNILE

Mettons un moment notre casquette parentale. On recommande aux jeunes d'attendre, de prendre leur temps, d'éviter les raccourcis alors que ce sont souvent nos référents sexuels à nous, adultes, qui calquent les leurs.

Nous nous essoufflons à imiter la primauté adolescente, à pirater leurs codes : l'action, l'immédiateté, la vitesse, la bandaison, la génitalité. On est prêt à bien des choses pour se sentir jeune et pour rester dans le coup : prêt à avaler quelques couleuvres,

---

72. J'emprunte l'expression à P. Bruckner et A. Finkielkraut, *op. cit.*

du Viagra aux aphrodisiaques, prêt à se taper des salons érotiques, un *coach* sexuel, un *piercing* lingual ou un tatouage pénien. Notre référentiel érotique est parfaitement infantile, dirait papa Freud, car il est bien plus auto-érotique que relationnel. N'est-ce pas indécent de parler aux jeunes de délai, d'attente, de maturité et de désir à habiter alors que notre propre modèle sexuel est encore aux couches ? Regardons-nous un peu : de vrais jouvenceaux ! Les adolescents, les vrais, ne sont pas dupes... Ils voient bien, devinent bien que leurs aînés s'offrent le génital. Et pas même en bouquet[73] !

LE TAPAGE SEXUEL ÉPUISE LE DÉSIR

Nos sociétés *génitalistes* sont tourmentées par la hantise du non-désir. Elles parlent de fesses avec autant d'insistance qu'elles ont besoin de conjurer à la petite semaine cette terreur brumeuse de perdre l'appétit.

Le mystère est désuet et le péché périmé. Ève et Adam sont en manque d'éden à inventer, de fruits défendus à savourer. Attraits et tentations s'évanouissent dans l'œuf. On réussit à recréer la saveur du péché dans le sexe extrême, les pornos *hard* et *snuff*, le risque, la violence mais aussi la mort, en prenant des risques sexuels sous prétexte d'invulnérabilité.

Il y a une dizaine d'années, c'était le lot d'individus compulsifs de se masturber des heures durant dans un cinéma porno ou devant un film loué. Avec l'arrivée d'Internet, la compulsion sexuelle est en nette progression. Des hommes « normaux » passent des heures devant leur écran à s'exciter et à se branler en se gavant d'images de cul qui risquent peu d'accroître et de bonifier le désir érotique relationnel.

Les pannes de désir, difficulté comptant parmi les principaux motifs de consultation sexologique, sont essentiellement des pannes de vie, des accès d'inertie et de stagnation. Breton et Bataille

---

73. « Bouquet génital », expression de Henry Miller.

avaient raison de craindre qu'à force de dévoilement et de permissivité, on vide le désir de sa substance. L'un et l'autre étaient convaincus que la suppression du défendu menacerait non seulement le désir, mais l'humanité puisque, dans une certaine mesure, « ce qui sépare l'homme de l'animal c'est la limite opposée à la libre activité sexuelle[74] ». Comme si cadres et limites imprimaient la sexualité humaine d'une valeur et d'une signification uniques.

On parle à grands flots de sexualité. Bavardage intersidéral, papotage *magazinique*, verbosité cathodique. Que nous manque-t-il donc pour que nous jacassions tant ? À quoi correspond cette frénésie de babillage ? Avons-nous besoin de nous convaincre de notre rectitude sexuelle ? Si la jouissance illimitée est offerte et réalisée, pourquoi est-elle tant matière à discours ? Si le problème n'est plus, de quoi se soucie-t-on ?

On assiste, depuis une quinzaine d'années, à une *pornographisation* du quotidien : médias et publicités nous bassinent au jour le jour de messages de camelotes et de pacotilles sexuelles susceptibles de créer des besoins factices impossibles à combler. D'ailleurs, le fossé s'élargit sans cesse entre les conduites sexuelles emblématiques proposées par les médias et la pratique sexuelle des spectateurs qui, mise à part la branlette solo, est de plus en plus restreinte, rare, occasionnelle. N'avez-vous pas observé comme moi que l'individuation de la société combinée à l'encombrante ostentation de sexe fouette le penchant à l'autosatisfaction bien plus que l'impulsion vers autrui ?

L'émission de télévision américaine *Sex and the City* a soulevé passion et cotes d'écoute aux États-Unis, au Québec et dans certains pays d'Europe parce qu'on y causait vagin, sodomie et masturbation avec autant d'humour que de sérieux. Le tour de force de cette production, garant probable de son succès, fut de

---

74. Georges Bataille, *op. cit.*

ramener régulièrement dans ce *patchwork* olé olé le sempiternel, illusoire et merveilleux prince charmant !

À Montréal, à l'automne 2004, une création théâtrale intitulée *Les hommes aiment-ils le sexe, vraiment, autant qu'ils le disent ?* a fait jaser. Le spectacle *Les Monologues du vagin* a constitué un événement dans toutes les grandes villes occidentales. Le vagin y est décrit comme un continent lumineux, un jardin de délices, un miroir identitaire. Effet libérateur assuré.

Sur une note moins politique et dans un tout autre registre, Nina Hartley prend la relève des Fonda, Cher et Crawford. Celles-ci motivaient les femmes à faire de l'exercice physique, Miss Nina offre des programmes de musculation de la mâchoire, de la langue ainsi que des techniques de dilatation anale : *Guide to Fellation, Guide to Cunnilingus, Guide to Anal Sex.* Avec ces manuels, langues et mâchoires ne dérougissent plus et la bandaison se dresse dans l'éternité ! Les hommes et les femmes qu'une certaine gaucherie émeut et excite, que les guides pratiques font débander devraient être priés de s'abstenir…

Des milliers, voire des millions d'internautes fréquentent les bulletins de nouvelles lus par des femmes (et quelques rares hommes) qui se dévêtent au fur et à mesure que progresse la lecture des actualités. Le *strip-tease* corporel bat le rythme de la nouvelle sur le site www.nakednews.com. L'indécence est sans borne. C'est une chose presque drôle d'entendre un discours de Bush annoncé par une *pitoune* à l'allure de *new born porn star* aux seins gigantesques pas encore payés ; c'en est une autre de voir un reportage sur les femmes lapidées présenté par une vamp nue qui caresse son clito ! On parle maintenant d'une dépendance au Net ; à l'intérieur de cette dépendance, il y a le faramineux asservissement au sexe que ce moyen de communication a permis.

La révolution sexuelle a sorti la fesse de l'ombre. Celle-ci n'en finit plus de se faire belle et de faire la belle. La fesse nous beurre et nous tartine jusqu'à plus soif! Nos sociétés libérées font croître de façon alarmante la solitude et l'isolement, les carences relationnelles, le manque de présence tangible, d'amour, de chaleur humaine et de communication réelle. C'est la poule et l'œuf : le cybersexe découle de cette dérive relationnelle et y contribue. La contemplation assidue de scènes XXX, la goinfrerie de films et de revues porno mènent soit à l'isolement et à la compulsion sexuelle, soit à l'écœurement par intoxication, soit à l'*overdose* qui rend incapable de vivre une vraie rencontre avec une vraie personne. Des garçons d'orientations sexuelles diverses, de plus en plus jeunes, éprouvent de sérieuses difficultés sexuelles relationnelles. Ils ne peuvent s'exciter, bander et parvenir à l'orgasme qu'en contemplant des femelles ou des mâles virtuels au sexe coloré et sonore, épilé, lustré, inodore et sans saveur, ou encore par le biais de scènes sexuelles «extrêmes».

Les choses du sexe sont devenues cacophoniques et dissonantes, comme un bruit de fond polluant notre vie quotidienne : libido éléphantesque, *virilomaniaque* ou *femellomaniaque*, faussement nymphomaniaque. Sur l'autel Web de la vacuité érotique, les préférences génitales sont exposées et décrites en large et surtout en long, les performances sont mesurées et surexposées, les procédures enseignées.

Insidieusement, toute cette quincaillerie fait office de normalité et d'idéal à atteindre…

SE GUÉRIR DE SA *NORMOPATHIE* SEXUELLE

La MTV (maladie transmissible virtuellement ou par la télévision) la plus insidieuse, la plus répandue et la plus contagieuse est sans contredit cette obsession de la normalité. Pas moins de 99 % des questions angoissées qui me sont posées (à la télé, dans des lettres, dans mes conférences, par Internet…) par les personnes de 7 à 97 ans[75] se rapportent à cette quête éperdue de normalité :

---

75. Âge réel du plus jeune et du plus vieux lecteur à m'avoir écrit.

- Je ne jouis pas, pas assez, pas de la bonne façon, pas tout le temps, trop vite, trop tard, trop peu, trop… Est-ce normal ?
- Je le fais 1 fois, 2 fois, 5 fois, 30 fois, 60 fois, 300 fois par mois… Suis-je anormal ?
- Je me masturbe, un peu, beaucoup, passionnément, à la folie, pas du tout, avec la main gauche, avec un objet… Suis-je normal ?
- J'ai du désir : trop, trop peu, pas souvent, souvent, jamais, moins qu'avant, plus que lui… Suis-je normale ?
- J'éjacule trop, trop vite, trop tôt, trop tard, pas assez, pas beaucoup, pas toujours… Suis-je normal ?
- Je n'ai jamais fait l'amour qu'avec mon mari, je me sens anormale…
- J'ai des fantasmes, je n'ai pas de fantasmes, j'en ai pendant l'amour, toujours en dehors de l'amour, des bizarres, des folichons, des terribles… Suis-je normal ?
- Mon sexe est trop petit, trop grand, trop large, trop rose, trop laid, trop beau, trop étroit, trop mou, trop comique… Suis-je normal ?

Au secours ! J'ai parfois envie de hurler : « Mais normal par rapport à quoi et à qui ? » À toutes ces âneries de pseudo-norma-lité-conformité dont on nous inonde. Vous vous sentez bien ? Vous êtes en accord et en harmonie avec vos valeurs, vos besoins, votre rythme ? Vous vous faites du bien et vous en faites à votre partenaire, si partenaire il y a ? Envoyez paître les prescripteurs qui glapissent autour de vous !

Il y a un antidote au poison opprimant de la sempiter-nelle normalité sexuelle : se référer à soi, à ses valeurs et à son éthique personnelle, se rappeler que la normalité avec un grand N n'existe pas. Cette hantise de LA normalité, bonne, vraie, une, sainte et universelle et cette rectitude de tire-bouchon sont de réels fléaux. En eux siège le dérèglement, cette névrose exaspérée d'adhérer et de se soumettre à l'orthodoxie en vogue.

Trois formes de rectitude sexuelle prévalent dans notre monde actuel. La plus répandue est de marcher bien droit dans l'ornière en gobant tout ce que notre société de consommation impose comme stéréotypes. La deuxième consiste, en réaction à cette orthodoxie, à se laisser récupérer par quelque intégrisme comme le traditionalisme religieux, avec son commandant mondial en tête : George W. Bush. Enfin, la troisième équivaut à tout accepter, à tolérer l'intolérable, mollement, sans débattre : tout le monde il est beau et gentil et a droit à son opinion gnan gnan gnan…

Le miroir aux alouettes du tout permis nous donne l'illusion qu'ignorance, peurs et souffrances sont choses du passé. Figé dans la robe de plomb du sexe carcan, il devient ardu de déboulonner ce truisme d'une sexualité idéale. Du fond de notre geôle génitale, pendant que nous tressautons de menues tumescences en courtes détumescences, l'éducation sexuelle déserte subrepticement les écoles, les crimes sexuels augmentent en silence, les ogres sexuels jubilent en dévorant les cœurs des enfants, la capacité d'engagement s'étiole, les orientations sexuelles minoritaires conduisent aux idées suicidaires, la violence amoureuse continue de sévir, la dépendance affective, les suicides liés à la détresse affective et sexuelle pullulent. Et sont en voie de disparition les constituants fondamentalement humains les plus riches de la sexualité : le baiser, l'amour, l'érotisme.

LE BAISER EN VOIE DE DISPARITION

Savez-vous qu'il existe maintenant un gène du baiser ? Serait-ce pour le remettre à la mode que des scientifiques de l'Université de Pittsburgh ont nommé *Kiss* le gène qui déclenche la maturation sexuelle ?

Depuis des semaines, on se tenait la main... La première fois,
c'était au cinéma : les coussins de ses doigts brûlants dans la
paume de ma main et je me liquéfiais... Que de sensuel bon-
heur dans ces échanges chastes et voluptueux. Jamais, jamais des
doigts, fussent-ils bien-aimés et folâtrant ma vulve, ne me firent
semblable effet ! Puis, il y eut ces interminables soirées passées
dans la balancelle d'une amie à s'embrasser... à apprivoiser ses
muqueuses, son haleine, sa langue pulpeuse, vigoureuse,
«vrilleuse»... Baisers plus que prolongés, sucrés, entiers, pleins,
suffisants. Acte de communication, éminemment sexuel, sans
sexe. L'orgasme, si c'était le premier baiser échangé avec le pre-
mier amour ?

Johanna, 47 ans

« Bise, gros bisou, je t'embrasse... » On s'embrasse de plus en
plus virtuellement, par Internet, au téléphone. De moins en
moins de vives babines. Il m'est arrivé de rencontrer des adolescentes qui avaient fait des fellations avant d'avoir embrassé. Je
fais partie des 87 %[76] de ceux et celles qui ont « pratiqué » le baiser comme on s'adonne à un sport ou à un loisir, régulièrement
et agréablement. La pratique du *french kiss* constituait une sorte
d'exercice autonome, libre et indépendant, un bonheur en soi,
sans constituer un prélude au coït ou à d'autres caresses plus
poussées. Incontournable baiser, régal capital, sept fois plus capital que les sept péchés capitaux... Le baiser avait une vie propre.

Le baiser d'aujourd'hui, quand il est au rendez-vous, est
bien aléatoire et sert de mise en bouche expéditive aux choses
sérieuses de la fornication. Il est connu que les putains n'embrassent pas. On embrasse de moins en moins... Serions-nous
sur la voie de la putasserie ? Le baiser est une marque d'amour
ou, minimalement, d'affection.

---

76. Statistique tirée de l'article de J. Diepold Jr et R.D. Young, « Empirical Stu-
dies of Adolescent sexual behavior : a critical review », *Adolescence*, vol. 14, 1979,
citée par Denise Medico-Vergriete, *Le Baiser*, Montréal, Stanké, 1999.

Les jeunes « font le sexe » avec leur *fuck friend* et ont des fantasmes amoureux. Nous étions amoureux et avions des fantasmes érotiques alors appelés pensées cochonnes. On roulait des pelles jusqu'à se décrocher la mâchoire, jusqu'à souffrir d'œdème des lèvres durant trois jours… Il m'arrive de rencontrer des couples qui ne s'embrassent plus guère sur la bouche et rarement avec la langue : ils se caressent, se suçotent, se sirotent et se grignotent d'est en ouest et du nord au sud ; ils se pénètrent et s'interpénètrent sans se faire de bouche à bouche, de langue à langue. C'est bien plus facile de baiser sans aimer que d'embrasser sans amour… Et puis, on n'a pas nécessairement envie d'embrasser quelqu'un avec qui on a envie de baiser. On a toujours le goût d'embrasser quelqu'un qu'on aime. Du moins, il me semble…

L'autre jour, mon amoureux termine ainsi un courriel à ma petite-fille : « Dis à ta mamie que je l'aime… » Elle lui répond : « Je ne manquerai pas de dire à Mamie que tu l'embrasses. »

Pour les enfants, embrasser et aimer sont synonymes. Parce qu'il s'accomplit en plein visage, sans que la tête puisse se dérober, le baiser est un acte fondamentalement relationnel et intime. Il rapproche de l'âme, des pensées, des sentiments de l'autre. Il relie sentiment et sensation, distille de la conscience entre les deux êtres. Nombreux sont ceux et celles qui le perçoivent comme un moyen d'introduire une communication affectueuse dans les relations sexuelles.

> Quand je fais l'amour, le baiser est capital. Si j'aime, le coït ne suffit pas. J'ai besoin du contact des bouches. Ça me rassure. Je sens mon partenaire vraiment présent s'il m'embrasse en même temps qu'il me pénètre. Pour moi, une relation sexuelle sans s'embrasser, c'est de la baise, alors qu'une relation sexuelle en s'embrassant, c'est de l'amour[77].

---

77. Denise Medico-Vergriete, *op. cit.*

Le baiser est yin et yang. Il engage la fusion des bouches, lieu ouvert, concave et réceptif, et l'étreinte des langues, organes convexes et pénétrants. Le baiser est *femâle*. Il introduit un échange qui se vit dans la réciprocité : les partenaires donnent et reçoivent dans une gestuelle empreinte de symbolisme hermaphrodique[78]. Il est si chargé affectivement qu'embrasser, en dehors du couple, équivaut pour plusieurs à une infidélité.

> *J'ai vu, de mes yeux vu. Elle l'embrassait. Ils s'embrassaient à pleine bouche. J'étais furieux et vraiment triste... J'avais envie de brailler comme un veau. Elle ne comprend pas que j'aie rompu avec elle. Je pense que si elle avait couché avec lui, cela n'aurait pas été pire pour moi. On n'embrasse pas ainsi quelqu'un qu'on n'aime pas.*
>
> Simon, 27 ans

Métaphore de la relation amoureuse, on associe le baiser à la tendresse et à la douceur, au sentiment amoureux. Les langues se soudent, forment un viaduc reliant les dimensions relationnelle et corporelle, la volupté et la communication. On peut comprendre que ce liant est superflu lors d'une béotienne partie de jambes en l'air ou d'une « petite vite » puisque embrasser, c'est murmurer des mots d'amour dans la bouche de l'autre. C'est nourrir et se laisser nourrir.

Vous êtes en manque de baisers ? Il existe sur le Net un stand aux baisers. On peut, moyennant des billets verts, fusionner sa bouche avec celle d'une idole de son choix. Le souvenir est factice et ne laisse aucun arrière-goût ! La sensation est vitreuse et aplatie plus que pulpeuse et renflée, mais bon... On y joint une galerie des « embrasseurs » et « embrassés » anonymes. Anonymes et solitaires puisque avant et après le baiser virtuel, on est toujours seul avec sa souris ! Flagrant reflet d'un rapport à l'autre

---

78. *Ibid.*

sans l'autre. S'il fallait qu'un jour le cyberérotisme permette d'expérimenter les sensations physiques en l'absence d'un partenaire de chair, on s'enfermerait alors dans l'ultime narcissisme, dans l'autarcie fantasmatique. Sans amour.

Serre-moi dans tes bras
Embrasse-moi
Embrasse-moi longtemps
Embrasse-moi
Plus tard il sera trop tard
Notre vie c'est maintenant

Jacques Prévert

L'AMOUR EN VOIE DE DISPARITION

L'amour commande la générosité. Souvent présente au moment de la conquête, cette vertu tend à se diluer à l'instant même où elle devrait se mettre en place.

Comment aime-t-on ? Comment être le véhicule de l'amour ? On n'en sait trop rien. On refuse d'avance l'idée qu'il se transforme en tendresse, en attachement. On craint l'ennui, alors on ne prend plus le risque d'aimer. On refuse de payer amende d'une partie de son propre narcissisme, cession dont on obtiendrait pourtant large compensation en étant aimé. On ignore que l'amour partage avec l'érotisme une fin commune : celle de libérer et d'exalter le plaisir. On ne sait plus que l'amour donne non seulement du sens à vivre, mais un sens inégalable au partage sexuel, qu'il est un excitant naturel de la sexualité, qu'il a des effets directs sur la chair comme s'il était intérieur aux appétits organiques.

L'amour suppose une part de prise en charge de soi par l'autre. Cette interdépendance, cette générosité sont devenues obscènes. Ce n'est donc plus le sexe qui est obscène, c'est l'amour, le besoin d'aimer et d'être aimé.

Je sais que je l'aime, que lui et moi c'est du vrai et du solide.
C'est une évidence, une douce certitude. Quand je pense à lui,
mon corps se détend et sourit. Alors, je souris aussi, imman-
quablement. Je me sens en paix, serein… Notre routine est lisse,
confortable, rassurante… J'ai besoin de cela et lui aussi…

Sébastien, 37 ans

Choisir l'amour, l'aider à vivre et à grandir dans le voisi-
nage d'une sexualité contemporaine si anxieuse, boulimique
et solitaire est tout un défi.

C'est si facile de s'enfermer en soi-même, à côté de
l'autre, dans une solitude à deux faces. Des enveloppes charnelles
se croisent et des relations « amoureuses » se déroulent dans une
quelconque économie de l'autre tout en jouissant de lui. Certains
de ces rapports ne sont pas si différents de ce qui se passe dans
un *backroom*[79], lieu emblématique parfait de la solitude sexuelle
où un orifice recueille, de l'autre côté d'un *glory hole*[80], une queue
anonyme. Ce qui importe : l'invisibilité et l'anonymat du partenaire ! Combien de rapprochements hétérosexuels ou homosexuels se déroulent de manière comparable ? Du péché du plaisir solitaire, nous avons régressé à une solitude bien plus triste :
celle du plaisir solitaire escorté. Quand des partenaires deviennent des accessoires l'un de l'autre et l'un pour l'autre, chacun
n'est-il pas aussi seul que dans la masturbation ?

Le nombre de personnes vivant seules, le nombre de femmes
et d'hommes en quête d'un compagnon ou d'une compagne, le
nombre d'individus résignés à ne plus chercher n'ont jamais été
aussi élevés dans nos sociétés. Près d'une personne sur deux est
célibataire. L'amour et le couple, c'est si exigeant ! Trop exigeant ?

---

79. Lieu de drague obscur où des corps se croisent génitalement. Ils offrent
l'absence de l'autre, invisible et non identifiable.
80. Orifice percé à hauteur du sexe dans une paroi dissimulant récepteur et
émetteur.

On prend le temps de s'entraîner physiquement, de se faire «coacher» pour tout et rien, de se recycler pour son travail, de passer des heures chez le coiffeur et chez l'esthéticienne, de s'isoler durant des semaines à la suite d'une chirurgie plastique, de lire et de rester culturellement *in*, mais trouve-t-on le temps et la générosité nécessaires pour investir dans le lien amoureux? Le faire serait concrétiser la volonté de continuer à aimer. Et ce mouvement volontaire pourrait être, non pas une garantie, l'amour étant incertitude, mais la voie royale vers la consolidation d'un lien érotique qui résiste au temps.

À l'instar d'Erich Fromm[81], je crois que l'amour peut s'extraire du passé et inviter à la création, à la « re-création » et à la nouveauté. Il s'agit là du fondement même de l'amour, à défaut duquel il perd tout son sens. Le couple moderne, s'il n'était pas si absurde, unirait deux amoureux, deux amants.

L'ÉROTISME EN VOIE DE DISPARITION

On a passablement épluché l'érotisme au début de ce livre. Rappelons quelques grandes lignes. L'imaginaire est une composante érotique essentielle. Le désir fantasmé s'accorde avec le monde intérieur et subjectif. Le plaisir, même lorsqu'il est réel et très objectivement lié à une personne, est toujours précédé d'une sorte d'inclinaison à l'imaginaire qui le suscite autant qu'il est suscité par lui. Une certaine privation sexuelle permet de fantasmer et amène, ultérieurement, à une plus grande satisfaction érotique. L'érotisme n'aime pas le prévisible. Je me fais volontairement redondante pour qu'on prenne pleinement conscience, en regardant les matériaux, images et messages « érotiques » qui circulent abondamment autour de nous, que l'érotisme est mal en point.

---

81. Erich Fromm, *L'art d'aimer*, Paris, Éditions Universitaires, 1967, citation de mémoire.

Arrêtons-nous un moment à deux publications[82] qui ont fortement retenu l'attention médiatique en ce début de IIIe millénaire : *La vie sexuelle de Catherine M.* de Catherine Millet et *Putain* de Nelly Arcan. On aurait pu espérer d'auteurs féminins modernes qu'elles éclairent autrement l'érotisme. On aurait pu aussi s'attendre, du fait qu'elles représentent deux groupes d'âge et deux continents, à des perceptions contrastantes de la sexualité. Nenni ! Seuls diffèrent la facture des ouvrages et les univers dans lesquels évoluent les personnages. Tout le reste duplique le paysage porno habituel et cantonne l'érotisme dans son habituelle barbotière à canards.

Catherine Millet, française, la cinquantaine

Catherine Millet nous offre un exposé pornographique conforme à n'importe quel autre. Comme dans le scénario XXX, il n'y a pas d'histoire, les 20 premières pages se répètent jusqu'à la fin, cliniques, froides, quantitatives. Deux douzaines de zobs en une soirée : dans la bouche, dans le vagin, dans le cul, plein les mains. En entrevue, Madame Millet avoue que des enfants, si elle en avait eu, auraient freiné et probablement mis fin à son exhibitionnisme. L'audace de *La vie sexuelle de Catherine M* : bouleverser certaines idées reçues quant à la sexualité féminine en montrant une femme rétive au sentimentalisme, aux séductions et aux appartenances…

Nelly Arcan, québécoise, la vingtaine

Le roman de Nelly Arcan propose un contenu étonnamment similaire aux vues de Millet. Dans *Putain*, une escorte se raconte. Plus le rapport au sexe et à l'homme, c'est-à-dire au client, est dépersonnalisé, plus ça lui plaît : en petit chien, à genoux, par-

---

82. Regard sexologique critique et nullement littéraire sur *La vie sexuelle de Catherine M.*, récit de Catherine Millet, et sur *Putain*, roman de Nelly Arcan, tous deux publiés au Seuil, Paris en 2001.

derrière… Ses postures sexuelles de prédilection sont celles où on ne risque pas de croiser un regard humanisé et humanisant. Surtout, pas de visage ! Juste des bites et des culs, à l'infini. L'héroïne, éternel objet de consommation, poursuit un but unique : être bandante. Culte du cul, du corps, du *cash*, de l'éternelle jeunesse qui permet de le rester (bandante). Récit truffé de fantasmes mortuaires et névrotiquement narcissiques. J'ai arrêté de compter le mot « larve » au 23ᵉ. Un livre où l'intimité est mise à mort et la relation inexistante.

Les deux bouquins suggèrent une vision triste et morcelée de la sexualité. Un homme est une queue qui bande. Une femme est un trio de trous à remplir. L'autre est un outil de mesure de ma propre performance, passive ou active : il bande et envahit mes orifices, donc je suis bandante ; elle hurle une fausse extase, donc j'ai du pouvoir.

Les protagonistes se révèlent inaptes au plaisir. Celle d'Arcan s'englue dans la haine et le mal-être ; l'autre souffre d'une boulimie de tous ses orifices. Millet confesse avoir ignoré longtemps comment se manifestait l'orgasme[83]. On peut douter qu'elle l'ait jamais éprouvé tant sa dynamique sexuelle suinte la nymphomanie qui n'est rien d'autre que frigidité compulsive. L'une et l'autre sont allergiques à la séduction amoureuse et au sentimentalisme, rétives aux préliminaires autant qu'aux *postliminaires* érotiques.

Ces auteurs endossent partiellement l'aspect biographique de leurs écrits : l'ouvrage d'Arcan s'intitule *Putain* et non pas « Moi, putain », celui de Millet se décline à la troisième personne, *La vie sexuelle de Catherine M.* plutôt qu'à la première. Nuance : à l'inverse de Nelly Arcan, Catherine Millet ne voue pas une vénération maladive à la beauté, à la jeunesse et à la *silicone valley*. Pour elle, un corps est un corps, jeune ou vieux ; un trou est un trou,

---

83. Alice Granger, *À propos de La vie sexuelle de Catherine M.*, <www.e-litterature.net>.

serré ou dilaté; une queue est une queue, raide ou chancelante. Le mal-être et le mal de vivre patents chez Arcan sont absents chez Millet, dont le ton est placide, cérébral, soporifique. Dans le roman de l'une comme dans le récit de l'autre, pas de place pour le désir. La vidange génitale occupe tout l'espace. La sexualité y est totalement séparée des sentiments. En triomphant toutes deux avec des *best-sellers* dans lesquels la quantité annihile la qualité, les deux femmes sont bien dans l'air du temps.

Il faut toutefois se demander si le propos de Madame Millet aurait obtenu la même couverture médiatique s'il était venu d'une femme de ménage plutôt que d'une bourgeoise intello! La question se pose aussi à l'égard de Miss Arcan: *Putain* aurait-il connu le même bonheur s'il avait été écrit par une travailleuse d'usine plutôt que par une plantureuse universitaire lettrée? Voilà des détails croustillants qui mettent l'eau à la bouche. N'est-ce pas terriblement excitant d'imaginer que des dames «littéraires», érudites et cultivées, passent leurs loisirs à sucer des queues et à lécher des culs-terreux?

Leur description de parties de jambes en l'air titille, éperonne, sans plus, et l'effet est sec et court. On s'en lasse. Il faut bien admettre que les femmes ne semblent pas sur la piste de l'innovation, de la diversification ou de l'élargissement de la palette de couleurs érotiques. En général, la pornographie féminine s'apparente à la porno masculine. Masochisme, domination, sadisme, viols, esclavage consenti… On y trouve bien peu d'*empowerment*. Lourd indice d'une révolution sexuelle aussi inachevée que célébrée. On ne s'y amuse pas plus que dans la porno masculine. On n'y pleure pas davantage non plus. L'une comme l'autre sont plutôt pesantes et désespérantes. Si au moins la porno nous faisait rigoler… Mais non, on la tient pour du vrai et ses adeptes la prennent au pied de la lettre, avalent cul sec ses images et son message. C'est bien là le plus pathétique.

Les histoires de cul devraient toujours faire rire […]. Malgré les discours prétendument libérateurs qui se sont déversés sur la sexualité depuis quelque trente ans, elle reste une chose grave, lourde. Le paradis ou l'enfer. On ne parvient pas à prendre la sexualité pour ce qu'elle est : la pratique d'un plaisir simple, intime, toujours à portée de la main et qui ne coûte rien, un moyen de communication amusant[84] […].

Les produits et productions humaines qui ne font ni rire ni pleurer m'inquiètent. C'est le propre de l'être humain de s'émouvoir, de connaître les larmes et le rire. La pornographie apparaît comme une réalisation humaine dont on a évacué toute humanité. D'ailleurs, si elle était humaine, elle serait aussi humanisante. Elle mettrait en scène tout l'éventail des personnes sexuées, sexuelles, génitales et érotiques qui constituent l'humanité : petits, gros, imparfaits, laids, handicapés, vieux, malades…

IMPACT

Pour se développer, les enfants intègrent à leur personnalité les caractéristiques de leur sexe, telles qu'elles sont définies par leur milieu. À l'adolescence, pour consolider leur identité sexuelle, ils adoptent les conduites et comportements qui leur sont proposés.

Il y a une vingtaine d'années, les enfants de 11 ou 12 ans que je rencontrais se demandaient comment se rapprocher de l'autre, comment bien embrasser et se questionnaient sur leur puberté. Aujourd'hui, les filles demandent comment devenir des pros de la pipe et elles croient que le point G, qu'elles cherchent désespérément, s'appelle ainsi parce qu'il est *grandiose* et qu'il fait *gémir*. J'exagère à peine. Quant aux garçons, ils veulent

---

84. Marie Cardinal, *Les Jeudis de Charles et Lula*, Paris, Grasset, 1993.

amener leur blonde à adorer sucer et s'inquiètent pathétiquement de leur puissance érectile. Filles et garçons veulent s'instrumenter, convaincus de leur nullité s'ils ne sont pas des *masters* du sexe. Ils réclament un *Kama Sutra* ado.

Il n'y a pas si longtemps, on jouait au papa et à la maman. Aujourd'hui, on joue aux femmes fatales à huit ans. Les fillettes ne se projettent plus dans des fantasmes de mère, pas plus que dans des rêves de femme active et autonome. Maintenant, elles se projettent dans un fantasme de femelle bandante. À l'adolescence, on dissimulait, pudique et fière, nos seins naissants; aujourd'hui, on les force à pigeonner et à rebondir. Les filles perçoivent le pouvoir dans l'ultra-féminité, les garçons, dans l'ultra-masculinité : *strings*, jupettes à ras le clito, jeans accrochés au pubis, nichons offerts… Britney Spears, le modèle par excellence des fillettes de la récente décennie, reçut de ses parents pour son 16ᵉ anniversaire des seins tout neufs. Elle chante *One more time* devant des gamines pâmées et aiguillonne une sexualité dont elles ne sont pas même encore conscientes. À une journaliste qui lui demandait il y a quelques années si elle saisissait la portée de son influence sur les enfants, elle répondit, candide : « Il y a une différence entre la scène et la vie ! » Les enfants, j'en ai la ferme conviction, ne font cette différence qu'à la condition d'être aidés à la faire. Avec des modèles comme Britney qui prône la chasteté tout en susurrant de faux orgasmes en arpège, avec Aguilera qui se tortille, sa meute de *virilomaniaques* collés aux fesses, avec les *sex academia*, les *reality sex shows* et autres *junk sex* télévisuels ou intersidéraux, il faut vouloir très fort pour entrevoir une avenue qui puisse rivaliser avec cette platitude et pour élargir le kaléidoscope érotico-amoureux !

La préoccupation des fillettes prépubères pour leur corps frôle l'obsession : trop grosses, trop ventrues, trop de cuisses, pas assez de seins, trop de poils, trop de poids… Elles sont nombreuses à se sentir exister strictement dans et par le regard de l'autre, l'autre étant la prunelle masculine. Complexe d'Électre[85] non résolu ? Absence d'un vrai père, présent, aimant et significatif ? Elles se sentent reluquées par les hommes et voient bien, sans trop comprendre, qu'ils aiment les regarder. Il y a peu de temps, un réalisateur de télé me montra, en dissimulant la page couverture de la publication, un catalogue de vêtements et lingerie mode destinés aux *tweens*. J'aurais juré une revue *soft* pour pédophiles : fillettes impubères, main dans la culotte, nounours entre les jambes, léchant sensuellement leur pouce ou un énorme suçon phallique, regard lubrique, lèvres mouillées, petites jambes bien entrouvertes… Que des hommes qui ne sont pas des pédophiles notoires, des hommes donc à peu près normaux, soient allumés par des fillettes impubères qui se dandinent le nombril à l'air me tracasse. L'omniprésence de cet infantilisme sexuel (sorte de pédophilie déguisée ?) partout dans notre environnement a un impact sur tout le monde.

Quant aux conséquences de tout ce tapage sexuel sur les ados qui sont à un âge de grande malléabilité, qui sont en quête d'identification à des idéaux masculins et féminins, qui ont besoin de s'affirmer, de se conformer et de « performer » pour être reconnus, elles sont absolument fulgurantes !

Dans cette optique, écoutons un papa déconcerté nous raconter…

Je vis avec mon fils de 15 ans. Récemment, il a amené non pas une, mais deux filles coucher à la maison. Deux filles en même temps dans son lit. Je suis un homme ouvert, je ne suis ni mora-

---

85. Certains ont appelé le pendant féminin du symbole œdipien *complexe d'Électre*. Dans la Grèce antique, Électre était la fille d'Agamemnon et de Clytemnestre. Avec son frère Oreste, elle aurait assassiné sa mère pour venger son père, victime de son épouse et de l'amant de celle-ci.

liste ni moralisateur, mais ce genre de comportement me dépasse
complètement. Le lendemain, les filles m'ont salué, rapidement
mais banalement, sans gêne. Elles étaient chez moi quand
même ! J'ai voulu aborder la question avec mon fils ; il m'a dit
que c'était ses affaires pas les miennes, que ces filles-là étaient
des fuck friends *consentantes, « qu'il n'y avait rien là ! » et de*
ne pas m'en mêler. C'est comme s'il m'avait dit qu'elles étaient
des putes bénévoles et qu'elles s'assumaient ainsi ! On s'est
engueulés ; il a claqué la porte quand je lui ai dit que nous
vivions dans un 4 et demie et qu'il devait me consulter avant
d'amener quelqu'un coucher. Bref, je ne sais plus comment me
comporter. J'ai peur que mon attitude l'amène à couper les ponts
avec moi... mais bon, je ne peux pas tolérer cela, c'est trop. Par
contre, cet événement m'a fait prendre conscience que je n'ai
jamais vraiment parlé de sexualité avec lui. C'est épouvanta-
ble mais c'est ainsi. Il savait tout et j'avais l'impression de
n'avoir rien à ajouter. Alors maintenant je me demande de quel
droit je lui en parlerais...

Marc, 39 ans

Ce monde dans lequel les enfants sont envahis jusque dans leur chambre à coucher par la porno sans avoir jamais parlé de sexualité avec leurs parents me paraît bien biscornu. Évidemment, une fois qu'ils ont assimilé le message XXX, au point d'en adopter les conduites, c'est un peu tard pour tenter de leur proposer autre chose. Mais il n'est jamais trop tard pour faire marche arrière, pour se positionner comme parent, pour dire qu'on a péché par omission, pour reconnaître qu'on s'est trompé, pour négocier des limites et des ententes chez soi ainsi que pour affirmer ses valeurs et les faire respecter.

À 14 ans, à force de baigner dans cet univers génitaliste, les ados croient que tout est possible, que tout est souhaitable, que tout est acceptable. Même la violence amoureuse, même le contrôle affectif, même le viol collectif et les tournantes sont banalisés. La sexualité de groupe? La bestialité? L'échangisme? Pfft! Y a rien là! À quoi sert-il que les adolescentes connaissent toute la panoplie de moyens contraceptifs si elles baisent sans désir et sans plaisir? À quoi a servi la révolution sexuelle si les filles se font enfiler à sec, si les jeunes se sucent sans s'embrasser ou se désirer, si les fillettes inconscientes se conduisent en vamps à neuf ans, si les gars de 16 ans se gonflent la verge à la pompe pénienne et achètent du Viagra sur le marché noir, pour «performer» au max après une nuit sous ecstasy? À quoi ont servi les luttes féministes et humanistes si nos filles s'écroulent et se désagrègent dès qu'elles se mirent dans l'œil d'un macho? Si nos fils homosexuels ou juste pas dans le moule se font injurier et violenter? Où sont passés le sens de la fête, l'émerveillement, la fantaisie, le mystère, le goût et le respect de soi et de l'autre, la dignité?

Il m'arrive bien trop fréquemment de rencontrer des jeunes de 16 ou 17 ans désillusionnés, désabusés, tellement écœurés qu'ils optent pour une abstinence «frustrée», s'isolent, sombrent dans la dépression tant leurs expériences sexuelles leur ont laissé un arrière-goût amer et gluant. Le nombre de jeunes adultes décidant de se passer de vie affective et sexuelle relationnelle va sans cesse croissant. En 1995, parmi les Allemands âgés de 17 à 35 ans, un sur trois estimait pouvoir se passer durablement de rapports sexuels[86]. Faites le décompte dans votre entourage immédiat : combien de femmes et d'hommes de tous les âges préfèrent vivre seuls ou ont choisi l'asexualité relationnelle? Comme reflet de cette lassitude, on voit poindre ici et là dans nos sociétés des mouvements de permissivité inversée : le droit de refuser.

Par ailleurs, les spécialistes de la sexualité observent un phénomène assez récent : l'arrivée en nombre de personnes sexuellement dépendantes réclamant de l'aide pour se débarrasser de ce qu'elles

---

86. Cité par Jean-Claude Guillebaud, *op. cit.*

voient comme une aliénation ou une forme de toxicomanie. Plusieurs considèrent que la suppression de leurs besoins et désirs sexuels représenterait un gain de liberté. Un autre paradoxe témoignant de la surenchère sexuelle qui gouverne nos sociétés : le virage que semble amorcer la pratique psychanalytique. Je connais des personnes achevant une psychanalyse de plusieurs années qui n'ont jamais abordé sérieusement la question de leur sexualité avec leur analyste. Or, la sexualité ayant été le ferment de cette méthode thérapeutique, il faut se demander si la psychanalyse postmoderne n'est pas en voie de trahir Freud. C'est ce que soutient André Green[87] qui observe aussi que la sexualité s'efface de la pratique, comme si le sexuel occupait désormais dans le processus analytique une place inversement proportionnelle à celle occupée dans la société. Autrement dit, l'omniprésence intempestive du sexe dans toutes les sphères de la vie aboutirait à sa dévalorisation dans le modèle psychanalytique.

L'embonpoint sexuel de nos sociétés démultiplie les effets pervers et les problèmes. Les hommes ne bandent plus, bandent mal ou pas assez. C'est du moins ce que l'on entend. Et s'ils en avaient juste marre de devoir bander ? Les femmes souffrent de manque de désir. Et si elles en avaient simplement assez de devoir désirer sur commande ? Les couples sont affligés de fréquences sexuelles différentes. Et puis après ? Excellente occasion pour l'un de fantasmer, pour l'autre de désirer. Si on laissait à d'autres les marathons érotiques !

Les techniciens de la baise qui s'activent à bien faire, qui admirent leur propre gymnastique génitale dans la prunelle de l'autre, qui se donnent des airs de gourmets érotiques alors qu'ils ne sont friands que d'eux-mêmes : je-ne-suis-plus-ca-pa-ble ! Voilà qui atrophie la vitalité érotique bien plus sûrement que l'usure du temps, que la routine ou que le déséquilibre hormonal. Mais ahhhhhh…

---

87. André Green, *Les chaînes d'Éros. Actualité du sexuel*, Paris, Odile Jacob, 1997.

un peu de trouble, de malaise et de spontanéité, d'émotion, de timidité et de maladresse… ça presse! Quoi de plus touchant et de plus enivrant que le laisser-aller érotique des hommes et des femmes qui, dans le rapprochement, s'abandonnent, se déposent, se désarment et se laissent désarmer sans s'étudier, s'observer, s'épier, se maîtriser ou tenter d'exercer quelque contrôle…

Double standard

Les êtres humains ne sont ni ange ni bête ou plutôt si, ils sont tantôt l'un, tantôt l'autre, vierge ou putain, satyre ou puritain. «Putain», «salope», voilà les sentences encore en vigueur pour qualifier celle qui aime le sexe ou celle qui multiplie les conquêtes sexuelles. Le garçon qui gare sa bite à gauche ou à droite, en double file ou dans des zones interdites, l'homme qui butine çà et là sans jamais s'engager méritent le titre de séducteur. On dit de lui qu'il aime les femmes, que c'est un Casanova ou un Don Juan. Un sacré tombeur! Au pire, on murmurera doucereusement qu'il cache une blessure secrète ou une homosexualité latente, ce pauvre chou. Jamais ne le traitera-t-on de «sale pute» ou d'«impuissant sexuel», ce qui pourtant conviendrait le plus clair du temps à ce Casanova.

> Il s'empiffre d'œufs, gobés comme d'autres ingurgitent des aphrodisiaques; il veut des vagins à sa disposition pour y verser sa semence vaniteuse […]; il s'agite, se trémousse, confond le sexe et la mécanique, le jeu et l'excrétion; il veut réaliser des performances, éjaculer un maximum de fois en un minimum de temps […]. Il s'exténue entre les jambes écartées d'une femme dont il soulève le cœur au lieu de le gagner[88].

Le type donjuanesque niche à une autre enseigne. Il ne compte pas ses éjaculations, mais les femmes dans lesquelles

---

88. Alain Etchegoyen, *Éloge de la féminité*, Paris, Arléa, 1997.

il les verse. Il inventorie et classifie les genres. Plus la séduction est laborieuse et exige déploiement de ses armes et munitions de charme, plus il est captivé. Son plaisir érotique est bien faible en comparaison de la joie que lui procurent le processus et le triomphe de la conquête !

On dira de ceux qu'on appelle les « hommes à femmes » qu'ils possèdent leurs amantes. Des séductrices, même lorsqu'elles choisissent leurs cibles érotiques, on dira qu'elles se font posséder. « Quelle pétasse ! » ira-t-on jusqu'à inveciver la femme *don juane* pour bien traduire le dégoût que suscite la liberté de son appétit sexuel. Cela est plus vrai et plus présent encore dans la pornographie qui génitalise à l'extrême les besoins sexuels féminins. On oublie le double dénominateur commun reliant la *porn star* et la putain : savoir bien simuler l'orgasme et être là pour le fric. Deux poids et deux mesures donc dans la perception, le traitement et les jugements relatifs aux conduites sexuelles selon les sexes. Illusion nourrie et résistante voulant que la sexualité féminine, pour être acceptable, doit être passive et attentiste. Déni aussi. Comme si les « femmes bien » et les « honnêtes femmes » ne pouvaient avoir de désirs et de besoins sexuels, les manifester et les satisfaire tout en demeurant des « femmes bien » et des « honnêtes femmes ». Notre contexte culturel pornographe n'a définitivement pas encore intégré l'idée que, passive ou active, séduite ou séductrice, une femme libre n'est jamais possédée.

Autre exemple de cet univers où règne encore le double standard : chez les ados, la fellation est bien plus populaire et répandue que le cunnilingus. Savoir exécuter une turlutte est en voie de devenir un rite de passage obligatoire et obligé, pour les jeunes adolescentes… Pas une semaine ne s'écoule sans qu'une fillette ne me demande par courriel des trucs pour devenir une *queen fellationiste*. J'ai reçu depuis 2002[89] une pléthore de demandes en ce

---

89. Année de parution de mon livre intitulé *Full sexuel* (titre européen : *Le sexe c'est d'jeun's*) destiné aux ados et publiant mon adresse électronique.

sens alors qu'en contrepartie je peux compter sur les doigts d'un pied les garçons ambitionnant de devenir grands maîtres en cunnilingus ! Il y a là quelque chose qui ne tourne pas rond, on dirait… N'allons surtout pas croire que les garçons montrent peu d'intérêt en cette matière parce qu'ils ont la science infuse… À bavarder de caresses intimes entre femmes, on sait bien que les dégustateurs de moules sont des perles… rarissimes.

Une dernière chose : l'engouement pour l'éternelle jeunesse et pour les chirurgies esthétiques et correctrices n'a jamais atteint un tel paroxysme. Les babines gigantesques, les fesses-pommes, les ventres et cuisses *liposucés,* les poitrines féminines salines ou plastiques, les yeux bridés ou débridés, les paupières relevées foisonnent. Encore aujourd'hui, ce sont les femmes bien plus que les hommes qui font gonfler, en même temps que leurs nichons, les chiffres d'affaires des vendeurs de rêves et de beauté. Combien de mâles bedonnants, briochés, chauves, jambes arquées, visage buriné, pattes-d'oie gigantesques sont persuadés (à tort ou à raison) que les femmes les prennent, les aiment, les désirent comme ils sont. Ils guignent les jeunes pétards, jouent les séducteurs, ont fière allure et n'hésitent pas à faire du nudisme sous le soleil des tropiques, la tête haute et le membre mou.

Quant à l'affluence des gars en lice pour un accroissement pénien[90], il faut se demander si elle ne procède pas davantage de la phobie des vestiaires entre copains, c'est-à-dire de la hantise d'avoir une quéquette plus petite que celle de son voisin, bien plus que de la volonté d'impressionner et de séduire les femmes…

Je suis l'arrière-petite-fille de Marie, la petite-fille de Christiane et la fille de Sophie. J'ai 11 ans. J'ai déjà mes règles. D'un côté de ma poitrine, j'ai un début de sein ; de l'autre, juste une aréole, comme un jaune d'œuf sur le plat. Malgré ça, j'ai l'air plus

90. Patrice Lemoine, *Séduire,* Paris, Laffont, 2004.

vieux que mon âge. Je ne m'habille pas sexy mais les gars me regardent… Je suis très attirée par les garçons, les Noirs surtout. Je parle des noirs de peau, vous comprenez, les vrais Noirs. Je suis négrophile… J'ai des amies qui ont déjà «frenché». D'autres qui ont fait plus, pas moi. Je passe pour une attardée. L'autre jour, un gars de 15 ans m'a offert d'être mon fuck friend. Après, il a dit que c'était une blague, mais je sais que c'était sérieux. J'ai raconté ça à ma mère; elle capotait. Avec mes copines, on se demande s'il faut faire des pipes quand on a un amoureux et qu'on n'est pas prête à faire l'amour. Parce que, si on ne fait rien, bien les gars, ils vont voir ailleurs. Aussi, comment il faut faire et s'il faut avaler et si cela fait grossir… Mais ça, j'en parle pas à ma mère, encore moins à mon père que je vois rarement. Pffft!

Jade, 11 ans

CHAPITRE 8

La néophilie

Qu'est devenu l'*ado-boomer*[91] libéré ? Quelle sorte de grande personne est-il ? François Ricard nous montre dans *La génération lyrique*[92] que le temps l'a consacré «esclave de ses slaloms sentimentaux et de son affranchissement sexuel et amoureux». Il ne sait plus s'attacher pour ne pas, prétend-il, enlever ses chances à la passion. La fidélité conjugale, quand vie de couple il y a, est toujours sujette à la négociation, à la re-négociation.

Les *boomers*, dont je suis, avec leur goût névrotique de «grandir» tout en restant «petits», avec l'obsession de leur vécu, de leurs expériences et de leurs émotions inlassablement triturées, exposées et comparées, me donnent des crises d'urticaire. Comme des adolescents attardés et fascinés par les tourments illimités de leur petit cœur et de leurs petits sens, ils fabriquent inlassablement de nouvelles formules amoureuses en falsifiant et en dénaturant les anciennes… Si nous placions les adultes d'aujourd'hui à côté des adultes d'autrefois, écrit Ricard, ils auraient l'air de bambins déguisés en grandes personnes.

Inexorablement tourné vers lui-même, l'adulte d'aujourd'hui est incroyablement seul et souffre d'une nouvelle maladie exponentielle : la néophilie.

---

91. Les *boomers* sont les femmes et les hommes nés durant la période dite du *baby-boom* de l'après-guerre, soit entre 1945 et 1960. Je dis *ado-boomer* par allusion au fait qu'ils sont souvent perçus comme d'éternels adolescents.
92. François Ricard, *La génération lyrique*, Montréal, Éd. du Boréal, 1992.

LA MALADIE DU MILLÉNAIRE...

La néophilie n'est pas l'engouement érotique pour les nouveaux immigrants. J'utilise ce néologisme pour désigner la tendance, le penchant, l'attrait, la fascination, le besoin et l'assuétude à la nouveauté. Cette affection entraîne une dépendance aux commencements, une frénésie envers les éternels seconds débuts. C'est l'emballement déchaîné devant les nouvelles odeurs, le grain de peau inconnu, le regard non conquis, la nudité inexplorée. *A contrario*, c'est l'indifférence et la tiédeur pour ce qui est familier, connu et apprivoisé.

Par la fabrication d'objets jetables, de vêtements et de produits conçus pour ne pas durer et pour être rapidement remplacés, nos systèmes de consommation créent, favorisent et nourrissent la maladie. Nous vivons au cœur d'une culture d'exaltation des débuts et des introductions, des échafaudages et des engouements-minute en suspension ou inlassablement répétés, sans jamais aboutir nulle part ailleurs... Combien de personnes autour de vous passent leur temps à commencer, entreprendre, amorcer, initier, recommencer... ? Un cours, une formation, un job, une pratique, un loisir, une création, un programme... une relation ?

Chez les jeunes, la néophilie est pandémique. J'ai beaucoup travaillé auprès de filles et de garçons que l'on dit en difficulté, ayant une bien piètre estime d'eux-mêmes (entre − 3 et 2 sur une échelle de 10). Il est absolument impensable d'amorcer un cheminement dans la restauration de leur image personnelle s'ils ne parviennent pas d'abord à mener à terme un projet plutôt qu'à abandonner constamment. Même un projet minimaliste, par exemple la rédaction complète d'une lettre, la réalisation entière d'une recette de cuisine, le montage intégral d'un modèle réduit, est nécessaire, prioritaire à la reconstruction de l'estime de soi. C'est le fait de prendre conscience des étapes nécessaires, les unes après les autres, à la réalisation complète qui est garant du succès et qui permet de commencer à reconstruire l'estime de soi…

… ET DES MILLIERS DE COMMENCEMENTS

Le monde actuel nous apprend à commencer. Il enseigne comment entrer en contact, amorcer, ébaucher, attirer, communiquer, séduire, faire bonne impression. C'est bien. Mais après qu'on a posé une brique, on fait quoi ?

Avez-vous eu vent d'une publication, de formations, de séances de développement personnel sur l'art de la post-séduction ou de l'après-rencontre ? Avez-vous déjà entendu parler d'un cours intitulé « Comment réussir votre deuxième décennie de vie conjugale » ?

Les commerces offrent des services après-vente ; nos communautés n'offrent aucun service après-conquêtes ! Bien des gens se croisent et s'entrelacent ; ils maillent l'un avec l'autre quelques boucles lâches. Suffisamment lâches pour s'assurer que le tout se démaille en un tour de main. Ils consomment côte à côte un loisir, un repas, leur corps… Ils surfent sur une vague, celle du moment. Ensuite, ils se rendent compte (ou pas) qu'ils ne peuvent ni ne savent comment transiter vers une autre étape. Alors, ils se revoient : pour occuper du temps, manger l'un en face de l'autre, regarder un bout de film, bouffer un peu de corps. Ils s'immobilisent, ou sont immobilisés, dans l'antichambre relationnelle. Ouverts et disponibles à d'autres rencontres, ils se tiennent sur le pas de la porte, prêts à déguerpir vers du plus neuf que neuf. Au fond, plus ou moins consciemment, ils aspirent à autre chose sans savoir que cette « autre chose », cette relation, plus dense et plus texturée, ne saurait venir de l'extérieur. La clé d'accès à la relation est en nous. Peut-être égarée avec quelque petit pois… Sans elle, impossible de passer de la rencontre à la relation puis à l'intimité.

Parmi les *néophiles* figurent ces enjôleurs qui comptent pour leurs les femmes dans lesquelles ils ont, momentanément, trempé leur membre ! Don Juan, le prototype original, ne choisissait pas, ne discriminait pas : il plaisait à toutes et toutes lui plaisaient... Le *play-boy* contemporain non plus. Femme ou homme, le *néophile* invétéré navigue en solitaire. La personne à conquérir l'émèche un brin mais ne l'enivre jamais. Il se saoule de ses propres conquêtes, d'une griserie numérique et narcissique. Il tisse de l'or autour de sa proie, l'attire dans son fantasme et la consomme avant de passer à une plus fraîche. Le *néophile* est une sorte d'artiste incapable de construire une œuvre érotique. Il se contente d'une succession de petits tableaux sans lien. Tout le monde sait bien qu'une composante de l'érotisme réside dans la nouveauté, que l'attirance sexuelle est amplifiée par l'inédit à explorer. Une fois cela connu, on se trouve devant une alternative : soit on demeure un éternel débutant qui nage en surface ici et là, soit on part à la découverte de la beauté des profondeurs. Il n'y a pas de troisième voie.

Les *néophiles* que je connais ont, en lieu et place du fertile terreau qu'est l'imaginaire érotique, un désert de pierres. Ce sont des rachitiques de la volupté, des inaptes de la créativité et de la fantaisie. Qui ne peut baiser énergiquement, bander allègrement ou mouiller abondamment qu'à la condition expresse de disposer de chair inédite fait pitié. Impuissants à savourer les joies de la familiarité, incapables de manier les aiguilles à tricoter de la complicité, nuls à tisser l'intimité, trop balourds pour développer l'attachement, apeurés par les profondeurs, ils se laissent porter comme feuilles au vent, comme bouchons de liège à la surface de l'océan, comme bateaux sans gouvernail. Ordonnés, sériés, sériels et successifs, ils font, avec leurs partenaires d'occasion, lit commun et rêves à part. Grâce à eux, malgré que notre planète n'ait jamais été si encombrée d'humanoïdes, nous n'avons jamais été aussi seuls et n'avons jamais si peu vécu en société. Cela n'est pas une tare d'être seul ? C'est juste. La tare, c'est de ne pas savoir être de plus en plus heureux.

Je ne suis pas fleur bleue, pas complètement idiote, pas vraiment ignare. Je le redis, je sais bien que le nouvel amant ou la nouvelle maîtresse exerce un effet stimulant assez magique. Mais quand on y pense, magique sur quel plan ? Sur des bases chimériques ou sur des assises réelles ? Qu'est-ce donc qui nous excite dans le changement ? Sont-ce les propriétés objectives du changement ou l'idée même du changement ? Je crois que l'érotisme et la sexualité peuvent être fouettés dans l'engagement, l'exclusivité, le privilège et la réserve puisque tout dépend davantage du projet érotique que de la réalité. Quand on aime profondément une personne, se rendre compte chaque jour que cette personne est autre, qu'elle est tout ce qui n'est pas nous, est envoûtant aussi. S'il y a dans cette personne aimée tout ce qui n'est pas moi, il y a donc la différence perpétuelle et il y a le monde entier à découvrir…

Peu de gens souhaitent revenir en arrière, à la grise saison des plaisirs tabous et de tous les interdits. Mais de plus en plus d'hommes et de femmes, de tous les âges, rejettent le modèle sexuel qui domine actuellement. L'air du temps *orgasmologique*, avec ses *trips* de cul, ses liaisons furtives vides de sens, ses effleurements sans suite, ses tamponnements génitaux, sa névrose de performance et sa quête délirante de normalité, effectue en chacun de nous un travail de sape. Quels seraient donc les matériaux nécessaires à l'invention d'un nouveau paradigme érotique et amoureux, pleinement humain, foncièrement satisfaisant, enviable et désirable ?

TRANSIT ÉROTIQUE

Mon bel Amoure.
Dès notre première rencontre, je savais que je t'aimais.
Nos contours se sont emmêlés.
Je te savais. Tu me savais.

Tout s'est mis en place comme si nous connaissions
    intimement les contours de l'autre et de son existence
Sans que les choses ne se délient jamais
Sans que les choses ne se desserrent jamais
Et notre relation a modifié quelque chose à mon identité.

Tu m'habites et me nourris. Le manque de toi me nourrit.
Le manque de toi m'érotise, jouissance suspendue qui ne
    demande qu'à éclore.

Je te rejoins dans ton sommeil. J'entends ton souffle.
Je vois tes paupières relaxées, diaphanes puis frétillantes…
J'entre dans ton rêve pour te le raconter demain dans le fil
    de dentelle téléphonique…

Du creux de ton sommeil, vois-tu mes bras grands ouverts
    d'un bord à l'autre de l'Atlantique ?
Vois-tu mon cœur qui débonde de partout ?
Le sens-tu qui coule entre tes seins, qui glisse sur ton ventre
Jusqu'à ton sexe ensommeillé ?
Écoute, mon Amour… Mon cœur bat pour toi.
Mon cœur bat en toi.

Comment peux-tu, dans le même mouvement,
    me faire bander et me faire pleurer ?
Là, maintenant, j'ai envie de te faire l'amour.
De te prendre avec la plus violente douceur
    dans un lit d'Amour que nous aurions inventé.

TROISIÈME PARTIE

L'ORGASME RELATIONNEL ET LA RÉVOLUTION AMOUREUSE

CHAPITRE 9

La sexualité autrement

ENTRE DEUX ORGASMES : LA RELATION
J'ai fait il y a quelques semaines une rencontre troublante. Je marchais seule dans un parc, la fin du jour était lumineuse et tout orangée. Vous savez, ce doux moment où l'on s'arrête quand on est deux juste pour savourer l'instant présent, l'entre-deux… Une belle jeune femme à vélo m'intercepte. Littéralement : « Vous êtes sexologue, je crois… Je voudrais vous parler un moment… » Et la voilà lancée, celle que j'appelle « la toute belle du parc ».

> … J'ai un chum… Je crois qu'il a un problème. Il ne jouit jamais en moi, je veux dire à l'intérieur de moi. Il n'a jamais joui en moi, vous vous rendez compte ! Il est malade, hein… ? Ça me frustre au max. Il se retire toujours avant d'éjaculer et là il s'achève à la main ou c'est moi qui le fais… Moi, j'aime la pénétration et j'ai pas de problème pour jouir, moi… Il est bien chanceux d'avoir une femme comme moi qui aime le sexe… Avec les autres hommes, c'était plutôt le contraire, ils me trouvaient si sexy… C'est quoi son problème, vous pensez ? Pourquoi il ne peut pas venir en moi ? Je pense qu'il est vraiment malade, c'est pas normal son affaire ! Évidemment, il me trouve très belle, bon vous voyez bien de quoi j'ai l'air, il n'arrête pas de me le dire… Mais moi, moi… Mes orgasmes à moi… Je, je… Me, me… Moi, moi… Mes orgasmes, mon corps, mon plaisir, ma beauté, mes désirs…

Je, me, moi, mon, mes et moi-même… Cette femme ne savait conjuguer le verbe qu'à la première personne. Du singulier, il va sans dire ! Mon temps de promenade tirait à sa fin, j'étais attendue mais bon… je l'ai écoutée se raconter. J'ai bien essayé d'interrompre son monologue, de lui poser une ou deux questions. Elle ne m'entendait pas. Elle ne m'écoutait pas. Je me suis demandé si elle se souvenait que j'étais là, qu'elle m'avait arrêtée. J'ai eu le sentiment qu'elle ignorait l'existence de toute réalité extérieure à sa personne. Pour elle, tout l'univers gravitait autour d'elle. Seule dans son monologue, imbue d'elle-même, jamais il ne lui est venu à l'esprit de s'informer si elle me dérangeait au moment de m'assaillir. À travers son soliloque hyper-narcissique, j'ai fini par comprendre que la liaison sur laquelle elle pérorait était récente, qu'ils en étaient, son amant et elle, à leur huitième rencontre, qu'elle n'avait jamais fait vie commune et que sa relation amoureuse la plus longue avait duré une année. Elle conclut soudain son allocution :

> *Je savais que j'avais raison, qu'il est malade. Je vais le laisser.*
> *En plus, il a deux enfants. Non merci ! Je savais bien qu'il fallait*
> *que je le laisse. Il est plein de problèmes, c'est évident, alors que*
> *moi, vous le voyez bien, moi j'en ai pas de problème !*

Je jure que je n'ai pas prononcé un traître mot. Stupéfiée, je la regardai s'éloigner, son super corps bien moulé dans son super vêtement, élégante sur son super vélo avec, sur ses super oreilles, son super baladeur. Je pensai tristement qu'elle serait effectivement super mieux de retourner à sa super solitude… Je l'entendis marmonner pour elle-même en s'en allant : « J'ai compris, je vais le quitter. » Grand Dieu ! ai-je pensé, elle croit avoir compris quelque chose grâce à moi alors qu'elle m'a utilisée comme déversoir de passage.

Cette femme était si, euh… si, parfaite. Du moins, c'est ainsi qu'elle se voyait et qu'elle se projetait. J'ai imaginé que son amant pouvait avoir peur de souiller cette divinité de son sperme trop humain. Peut-être aussi la sentait-il si «pénétrée» d'elle-même qu'il n'y avait nul jour ou interstice lui permettant à lui de s'insinuer en elle et de la pénétrer de son amour ? Allez donc savoir… Comme elle devait être chagrine de ne pouvoir s'extasier et s'émerveiller d'elle-même, de ne pouvoir se contempler, «baisant» comme une déesse, sous tous les angles et sous toutes ses coutures, enveloppée de mille miroirs… Si au moins elle avait pu s'admirer de dessus et de dessous, de devant et de derrière, de côté et en diagonale, pour mieux se voir, s'acclamer, s'applaudir ! Certaines personnes devraient, comme les amibes, pouvoir se faire l'amour à elles-mêmes, s'autoféconder, se cloner !

Ce petit cinéma-réalité décrit une personne (qui en passant aurait pu être un homme) au moi hypertrophié, totalement indifférente à l'existence d'autrui. Elle met en scène une vraie *néophile*, toujours prête à recommencer le même scénario avec quelqu'un d'autre, toujours parée à bondir sur un nouveau prince charmé… Quand on est si recroquevillé sur sa petite personne, si amidonné dans son petit moi, on ne peut pas même rêver d'accéder à un partage sexuel relationnel significatif et satisfaisant…

L'ÈRE DU R

Réjouissance ! Réconciliation ! Renouvellement !

Entre deux orgasmes, factices ou réellement ressentis, se déploie la relation entre deux personnes. Après le culte des F (famille, fatalité, fidélité), celui des L (liberté, libération, libertinage) et puis des C (cul, corps, *cash*), je propose une petite ère du R. L'ère et l'R de la *ré-invention*, des *re-trouvailles* et du re-nouveau sur des airs de *ré-jouissance* et de *ré-conciliation*. L'ère de la Relation. Il y va de notre intérêt et de notre bonheur de développer notre habileté à vivre pleinement nos histoires, à renouveler le désir, à réinventer une culture de la relation amoureuse, à nous réconcilier avec le sens d'un projet de vie érotique relationnel.

La fête est une notion qui n'a aucun sens en l'absence d'autrui. On peut jouir en solo, mais c'est en duo que l'on festoie. Le champagne en solitaire a la bulle éventée. La joie, c'est comme l'orgasme : partagé, c'est quand même mieux. Le petit pois du sens de la fête existe parce que les autres existent. Le perdre, c'est aussi perdre le sens et la conscience de l'autre, de son existence et de son importance. Pour expérimenter la relation, il faut traverser l'antichambre de la rencontre, traiter sa néophilie, passer de l'historiette improvisée à l'écriture d'une histoire, se départir d'une pointe ou deux de son égocentrisme. Alors peut s'installer, en lieu et place de relations sexuelles successives et sérielles, une sexualité partagée et relationnelle.

La tentation « primate »

La sexualité humaine est relationnelle. En cela, elle se distingue nettement de la sexualité animale. Dans notre smala naturelle très élargie, chez les primates, bien des combinaisons sexuelles existent qui n'ont rien à voir avec l'idée de relation. Les orangs-outans s'accouplent, le temps d'une fécondation, et retournent à leur errance existentielle une fois la perpétuation de leurs gènes assurée. Les gibbons sont monogames alors que les chimpanzés reniflent, butinent et escaladent tous les roses postérieurs inoccupés. Les gorilles vivent en harem, de là peut-être les vertus de superétalon que nous leur attribuons… à tort ! Car sachez, Messieurs, Dames qui seriez tentés par cet amoureux type, que le pauvre s'accouple à peine 10 fois par an en milieu zoologique et seulement une ou deux fois l'an en décor naturel ! O.K., ses copulations durent longtemps, mais le colosse se fatigue au point de s'y reprendre trois fois en une heure avant d'éjaculer. Il souffre vraisemblablement d'éjaculation tardive et doit, pour y parvenir, effectuer entre 300 et 500 mouvements du bassin. M. Cyrulnik[93] ne dit pas si la provisoire femelle du gorille roupille entre les sessions de va-et-vient, ni dans quel état elle se trouve après cette gymnastique. Quant à savoir si ses orgasmes sont multiples ou inexistants, elle seule connaît ce secret d'alcôve. On peut en tout cas imaginer la condition de ses muqueuses vaginales après un tel tohu-bohu !

À l'opposé, l'accouplement macaque s'exécute en trois à cinq allers-retours phallo-vaginaux. Voilà qui commence à se rapprocher des performances coïtales humaines… Comment savoir si nos lointaines frangines jouissent ? Toujours selon Cyrulnik, rien de plus simple, du moins pour cousine macaque :

> […] À la fin de l'accouplement, la femelle macaque se retourne, empoigne l'avant-bras du mâle et l'embrasse avec une sonorité rythmique qu'on ne peut enregistrer qu'à ce moment-là[94].

Mouais… Moi qui pourrais être nommée par acclamation présidente du *fan club* de Boris s'il en avait un, j'avoue que sa candeur ici me confond. Il faut vraiment y mettre du sien, de l'espoir, de la belle volonté et une solidarité virile à toute épreuve pour préjuger que le mâle macaque envoie sa dulcinée au septième ciel en quelques coups de sa petite baguette non magique ! Et puis bon, je connais un peu, pour en constituer une part infinitésimale, l'âme femelle universelle, non ? Je parie que la coquine feint pour gratifier son mâle ou tout gentiment pour lui

---

93. Boris Cyrulnik, *op. cit.*
94. *Ibid.*

témoigner sa reconnaissance d'avoir comblé son désir de petit *macaquon*! Les femelles de toutes les espèces sont des créatures si reconnaissantes…

Chez les rares espèces extrahumaines (on n'a pas encore pu épier les coïts extraterrestres) pourvues en clitoris, peut-être les femelles ont-elles des orgasmes, mais il est impossible d'en avoir la preuve. Je ne sais plus quel éthologiste a rapporté que des femelles primates en train de copuler formeraient avec leurs lèvres un grand Ô de ravissement et présenteraient les mêmes yeux de morue frite que leur mâle lorsqu'il éjacule. De là à conclure que l'Ô des lèvres jointes est un Ô *ôrgasmique*, il y a un pas qu'on ne me fera pas franchir! D'ailleurs, l'Ô n'est-il pas une interjection qui peut aussi traduire la colère et la douleur? Et qui sait si la nana primate ne déclame pas silencieusement du Bossuet ou du Corneille : « Ô nuit désastreuse !…» « Ô rage, Ô désespoir !… »

De son côté, la femelle bonobo, proche parente du chimpanzé commun, ne cède pas sa place pour ce qui est de la bagatelle. Une vraie star olympique en matière de prouesses sexuelles. Peu lui importe l'âge, le sexe ou les conflits de génération, elle baise ou se fait baiser, pelote ou se fait peloter. En dehors de cela, elle se branle, cette nympho! Elle est si libertine que je ne m'étonnerais pas qu'on lui découvre quelque perversion *humanophile*! Sans blague, cela n'est certes pas un effet du hasard que le clitoris ait des proportions impressionnantes chez cette espèce hypersexuelle alors qu'il est pour ainsi dire inexistant ailleurs dans le monde animal (exceptions faites de la femelle du singe-araignée, du lémurien et de l'hyène tachetée). L'adolescente bonobo, deux fois plus petite que sa cousine humaine, est dotée d'un clitoris qui dodeline au vent. Une femelle humaine ainsi gréée se verrait certes acculée au mur de la correction chirurgicale.

Bien plus loin de nous dans la phylogenèse, les éléphantes, rares mammifères à être ménopausées, s'accouplent très discrètement, presque secrètement. Par une sorte de pudeur naturelle éléphantesque, le couple se fait tout petit comme si les partenaires voulaient dissimuler leur incontournable taille et leur immanquable sexe... Pas d'exhibitionnisme ni d'excès chez les pachydermes. Une fois tous les deux ans, l'élue profite, se laisse servir par l'amant durant cinq jours. Cinq jours pile, chrono en trompe, pas un de plus. Le sixième jour, les tourtereaux allégés se baignent et s'ablutionnent dans la rivière. Après, tout rassasiés de barbotage et de câlineries, ils rejoignent paisiblement leur troupeau. Ils ne connaîtront pas l'adultère. Tout cela est si serein et bucolique que ça donne envie de se réincarner en pachyderme...

La tentation psycho-bio-évolutionniste

Am, stram, gram
Les cochons sont polygames
Pic et pic et colégram
Les cochonnes sont monogames[95]

Je me plais à imaginer les tenants de la psychobiologie (ou psychologie évolutionniste) scandant gaiement cette comptine. L'idée que les hommes et les femmes sont si disparates qu'ils ne pourront jamais se comprendre et s'harmoniser me semble une insulte à l'intelligence. C'est la priorité des priorités de se débarrasser de conceptions aussi simplificatrices.

Mais la psychobiologie, probablement parce qu'elle conforte et confine dans la facilité, fait hélas de nouveaux émules. Elle se targue d'avoir découvert les modules fondamentaux de l'essence de l'homme et de la femme. Comme un cyclope grincheux, elle a investi la conscience collective en l'examinant à travers le prisme d'un monocle machiste ! Elle

---

95. Cette comptine folichonne est empruntée à Natalie Angier, *op. cit.*

joue les fraîches et neuves alors qu'elle est un sous-produit de la sociobiologie. Dans un article paru en 1997 dans *The New Yorker*, le critique de cinéma David Denby voyait l'engouement pour la psychobiologie comme une substitution au freudisme dans les soirées mondaines : il est bien vu et un tantinet snobinard de se servir désormais de cet outil pour disséquer les turpitudes sentimentales. Cela fait bon chic bon genre. Pourtant, cette approche très *in* mérite, à mon avis, peu d'éloges : elle fait large et belle part aux vieux préjugés. Quel intérêt trouve-t-on, à part un moment de divertissement au détriment de l'autre sexe, à discuter *ad nauseam* des différences entre la femme et l'homme ? Je me contrefiche que mon homme perçoive mieux, ou moins bien que moi, l'espace en trois dimensions. Je me moque éperdument qu'un écran à résonance magnétique indique l'activation de zones cérébrales différentes chez lui et moi. Ce qui m'importe est que pour l'essentiel nous pensons la même chose, nous regardons dans la même direction, nous partageons les mêmes valeurs fondamentales. Aussi, pour le bien de l'humanité pensante et aimante, dépêchons-nous de désavouer les déprimants postulats de l'hypothèse évolutionniste :

- L'homme est enclin à coucher avec n'importe qui et est porté sur la bagatelle bien plus que la femme.
- La femme recherche naturellement et bien davantage la relation stable.
- L'homme éprouve un attrait naturel pour la femme jeune, belle, en bonne santé.
- La femme éprouve un attrait naturel pour l'homme au statut social élevé et au portefeuille bien garni, donc, vieux et fragile.
- Nos préférences et désirs sont inscrits en nous depuis l'âge de pierre. Ils n'ont pas changé et ne changeront pas.

David Buss, sommité de la chapelle psychoévolutionniste de l'Université du Michigan, déclare tout de go que demander à un homme de ne pas désirer une jolie jeune femme revient à demander à un carnivore de ne pas aimer la viande[96].

Édifiant ! Au nom du cannibale qui sommeille en l'homme, il faudrait lui pardonner de dévorer de jeunes et fraîches proies ! De plus, nombre d'analystes critiques signalent que les enquêtes portant sur le choix du partenaire sur lesquelles Buss et ses fondamentalistes s'appuient pour statuer sur des différences innées et irréconciliables entre les sexes montrent plutôt des similitudes frappantes entre eux.

On n'accédera jamais à une relation signifiante sans se défaire de travers aussi ridicules. Cette grille de lecture et de compréhension force à arbitrer entre les sexes, propose un divorce entre l'amour et le désir qu'il nous faut refuser pour des raisons très simples : il existe des hommes et des femmes prudes, des femmes et des hommes ardents ; des hommes et des femmes parfaitement libres, autonomes et autosuffisants, des femmes et des hommes totalement dépendants. L'être humain des deux sexes est une créature hautement évoluée, un produit combiné de la nature dont il s'éloigne de plus en plus et de la culture qui le remodèle.

Peu importe les allégeances et tentations, il reste que chez nous, humains, toutes les combinaisons sexuelles sont possibles. Avec une brochette de partenaires érotiques ou avec un seul. La dynamique érotique humaine n'est pas statique et elle fluctue selon l'amant ou l'amante et selon les étapes de la vie. Notre vie sexuelle est systémique et évolutive : elle change et se colore différemment d'une union à une autre, d'une période à l'autre de notre existence. On a tout faux de croire qu'on appartient à un type ou à un genre érotique, de statuer qu'Untel est un sublime ou un

---

96. Natalie Angier, *op. cit.*

minable amant, qu'Unetelle est une sacrée ou une pitoyable baiseuse. Elle peut être une maîtresse torride, il peut se présenter comme un fieffé amant aux yeux d'une personne alors qu'ils pourront se dévoiler sexuellement médiocres au regard d'une autre. C'est de la relation entre deux êtres que naissent une histoire et un profil érotique, une harmonie ou une cacophonie charnelle.

LE PROFIL ÉROTIQUE DU COUPLE

L'énergie sexuelle, sa courbe et son expression se modifient au fil du temps et en fonction du vis-à-vis qui nous accompagne. Fût-ce pour une heure, une décennie ou une vie, nous pouvons agir comme un homme gorille, une femme orang-outan, un couple gibbon. Mais la complexité de nos motivations se trouve à des siècles-lumière des leurs. Nos choix et comportements sexuels sont dictés par nos valeurs personnelles ainsi que par les émotions et sentiments qu'éveille et fait résonner en nous l'autre être humain. Dans cet esprit, la sexualité humaine est non seulement bien spécifique, mais elle est spécifiquement relationnelle et, outre quelques pâles traces et blêmes relents, elle n'a plus rien à voir avec la sexualité animale, primates inclus.

Jusqu'à 40 ans, je pensais être une moitié d'homme, le contraire du chaud lapin ou de l'étalon fringant… J'avais été, au dire de mon épouse, un amant pitoyable, nullissime. Il n'y avait plus rien de physique entre nous et je n'en souffrais pas. En fait, j'étais convaincu qu'il n'y avait plus rien de sexuel en moi… Je ne me masturbais à peu près jamais et lorsque je le faisais, c'était par curiosité, pour vérifier si ma tuyauterie fonctionnait encore. Jusqu'à ce que je change de boulot et que je rencontre Fabienne.

J'ai mis une éternité à me rendre compte qu'elle me draguait, tellement cela m'était impensable. Je me bouchais la vue, non pas

par principe, mais par incrédulité. Son intérêt pour moi s'expri-
mait de plus en plus explicitement et je me racontais que ma com-
pétence professionnelle devait l'impressionner. Je me demande
comment elle a pu ne pas se décourager ! Un jour, elle m'a mis
au pied du mur de son attirance et c'est mort de peur que je me
suis finalement laissé cueillir. Je sais que j'aurai l'air nigaud de
dire cela, mais je suis devenu un autre homme avec elle. Ça fait
cinq ans qu'on est ensemble avec nos trois enfants réunis. Cinq
ans que nous baisons, que je la saute, qu'elle me prend et que tous
les deux on en redemande. Jamais je n'aurais cru pouvoir dire ce
que je viens de dire. Il y avait en moi un bon gars, organisé et res-
ponsable. Il est toujours là d'ailleurs. Il y avait aussi, incognito,
un amoureux fou du sexe et d'une femme par qui le sexe est arrivé.

Michel, 45 ans

La sexualité humaine est relationnelle, disais-je, et systémique. Elle est plus que la juxtaposition de deux potentiels libidinaux. Parce qu'elle est relationnelle, elle est tributaire de la synergie qui émane de la fusion entre deux êtres.

J'ai eu trois vies affectives importantes. À chacune, j'ai juré que
c'était la dernière. C'est drôle, les couples que j'ai formés avec
chacun de ces hommes ont été des couples bien différents. L'âge
et l'expérience y étaient sans doute pour quelque chose, mais je
crois davantage que c'est le fait que les personnes sont uniques
qui rend chaque couple unique. C'est fou comme le lien érotique
qui s'est tissé au cours des années avec chacun de ces hommes
avait sa couleur, sa saveur, sa densité et sa texture propres. Ça
me fait toujours sourire quand on questionne les gens sur leurs
préférences sexuelles. Les miennes ont radicalement changé avec
les partenaires.

Jusqu'à mon couple actuel, je n'aimais pas la position du
missionnaire. J'étais incapable de parvenir à l'orgasme quand

j'étais dessous. Maintenant, c'est ma position de prédilection. Je ne sais trop pourquoi ou plutôt si, je sais : il y a entre mon amoureux et moi un emboîtement naturel de nos corps dans cette posture et beaucoup de chimie… Du jamais ressenti pour moi.

Avec un de mes ex, on se délectait de la position latérale alors qu'avec l'autre elle était absolument intenable anatomiquement…

Dans la vingtaine, je me croyais incapable d'obtenir un orgasme autrement que par le cunnilingus. Quand j'y repense, je comprends que c'est ridicule. La vérité est bien plus simple : j'avais appris à jouir comme cela. De plus, mon partenaire avait des érections défaillantes ; il arrivait rarement à me pénétrer et quand il y arrivait, c'était coucou vite fait. Il souffrait, je crois, de ses contre-performances et avait développé, pour compenser, une prodigieuse virtuosité de la langue… Quand on passe des années à jouir toujours de la même manière, on finit par croire qu'on ne peut pas y arriver autrement.

La vie sexuelle, les préférences érotiques, la satisfaction qui s'ensuit ou pas changent tout au long de la vie, des expériences et surtout selon le rapport à l'autre.

Élaine, 44 ans

CHAPITRE 10

L'alliance érotique

Ce titre de chapitre apparaîtra comme un parfait oxymoron à ceux qui affirment qu'avec l'arrivée du lien et de l'attachement disparaissent l'éros et la passion.

Les préceptes individualistes estompent la lisibilité des signaux érotiques entre les partenaires du couple. J'en viens à me demander si l'érotisme, que j'ai précédemment proclamé en voie d'extinction, ne serait pas carrément inconciliable avec l'égocentrisme primaire qui prévaut aujourd'hui.

Avec la pudeur, le voilé et le mystère, l'érotisme a été évacué de notre univers au profit de la pornographie brute. Quels interdits, réels ou symboliques, a-t-on encore le ravissement, ou ne serait-ce que la tentation, de transgresser encore ? Le défendu est désormais associé à l'immoral, à ce qui est jugé déviant et nettement pervers. Dans notre société sont gravés au fer rouge de la perversion : la laideur, la vieillesse, les traces laissées par le temps, le corps flétri, le handicap… En dehors de ces stigmates, empreintes de notre fragile humanité, tout ou presque est accueilli et permis. Ce qui est vraiment nuisible, avilissant et appauvrissant envers soi-même ou autrui et qui devrait, à juste titre, être considéré comme pervers est souvent célébré. Dommage que les saveurs et fruits défendus soient si rares, l'interdiction constituant un puissant catalyseur érotique… Les sexologues cliniciens savent bien cela, eux qui proscrivent à leurs clients les caresses intimes durant la première partie d'une thérapie de couple. L'alliance érotique durable et dynamique n'est pas une utopie.

C'est la mobilisation visant à renforcer la ferveur érotique entre deux personnes accoutumées l'une à l'autre qui constitue un stimulant défi.

ÉROTISER LE QUOTIDIEN

Est-il possible de faire en sorte que le quotidien cesse d'être le grand responsable de l'usure et de l'érosion des stimuli ? La routine saurait-elle être autrement qu'*anérotique, désérotisante* et *débandante* ? Si tout s'apprend et se désapprend, si tout se fait et se défait, pourquoi le quotidien échapperait-il à cette règle ? Pourquoi la routine insensibiliserait-elle ? Et si on formulait la question autrement en proposant que l'érotisme puisse devenir quotidien plutôt que routinier ? Qui sait alors si la vie quotidienne, et même la routine, ne seraient pas rythmées de *tempo* et de cadences érotiques ?

On nous a persuadés que la tendresse confortable, l'habitude rassurante, les rides, les petites douceurs journalières, les menus rituels, l'apaisante sécurité, l'attachement sont des ambiances éteignoirs. Bien sûr, ils ne sont pas favorisés et proposés comme substances érogènes en ce siècle de jeunisme et de néophilie. On ne supporte plus de vieillir, alors on fait semblant d'être à l'abri du temps. En solo, la feinte est plus coulante. On s'habille en ado, on se fait remonter les seins, enlever les rides ou gonfler les lèvres sans autre témoin du leurre que soi-même et hop ! on finit par croire au subterfuge. À deux, quand l'un ne se fait pas l'indéfectible complice des manœuvres et procédés auxquels l'autre se soumet, cela est impossible puisqu'il y a témoin. Voir son conjoint vieillir ou refuser de vieillir reflète inéluctablement son propre vieillissement, sa propre finitude. Seul, célibataire, on se complaît plus aisément dans l'éternel recommencement ou à tout le moins dans l'illusion de l'éternelle jouvence. Devant un tiers, le mensonge fuit de partout.

ÉROTISER LES TRACES DU TEMPS

Jean était dans la cinquantaine. La belle et séduisante cinquan-taine : un corps sain et solide d'homme des bois, des yeux d'homme des mers remplis d'horizon. Il s'était beaucoup perçu comme un mâle bandant, performant, bon amant. Il n'était pas que ça, mais disons que cet aspect des choses comptait pour une bonne part dans sa vie. En tout cas, cela comptait plus que ce qu'on avait imaginé. Il a partagé durant 15 ans la vie d'une amie. Je me souviens qu'elle bénissait la passion érotique qui les unissait alors qu'ils étaient dans la quarantaine. «Au lit, nous sommes comme larrons en foire et depuis tout ce temps, ça ne se dément pas», jubilait-elle. Je n'ai jamais bien compris pourquoi ils s'étaient finalement laissés. Il y a quelques années, Jean s'était entiché d'une jeune femme de 25 ans. Après deux ans de vie commune avec elle et, selon lui, de parfait bonheur et d'euphorie érotique, elle le quitta. «Pour une femme, dit-il, et sans aucun avertissement ni signe précurseur.» Peu de temps après, Jean s'est suicidé.

S'est-il enlevé la vie par amour ou par dépit ? A-t-il subi une insurmontable blessure de l'ego du fait d'avoir été remplacé par une fille ? Était-il dépressif et mal soigné ? Personne n'en sait rien et il n'a rien laissé pour nous aider à comprendre. Tout ce que l'on peut affirmer sans échafauder d'hypothèses de pacotille, c'est qu'il a refusé de vieillir.

Faire couple, créer un lien érotique privilégié, consiste précisé-ment à *conjoindre* avec une personne. Cela signifie qu'avec cette personne, et sans doute avec elle seulement, j'accepte d'être ce que je suis et je suis tous les âges que j'ai été. Je ne renonce à rien. Que j'aie quarante ou soixante ans, l'enfant que j'ai été est toujours pré-sent en moi et dans notre relation, avec sa soif particulière. Nous sommes aussi les adolescents indomptables, téméraires et fou-gueux que nous avons été dans nos histoires respectives avant notre rencontre. Par bonheur, ils nous échappent et s'éclatent de temps à autre. Toutes nos histoires se visitent, s'entremêlent, se font l'amour. Dans l'intimité érotique, on est totalement soi-même et totalement présent dans la relation, et à la relation.

ÉROTISER L'INTIMITÉ

Avec l'être aimé, le narcissisme érotique est avide plutôt qu'avare... Cela n'est pas toujours le cas avec « l'être baisé ». Avide donc, non pas de maîtrise, de contrôle et d'effet, mais de perte, d'éga-rement et d'abandon. Avec l'être intime, on n'a pas envie d'un cri de ralliement qui soit : « Fourrons ! » Mais d'un chant de rap-prochement qui soit : « Étonnons-nous ! »

> Devenons intimes sans devenir trop semblables pour ne pas nous ennuyer. Le corps est rempli de chemins qu'on n'a jamais fini d'arpenter puisque chaque jour en trace de nou-veaux. Devenons intimes mais sachons rester étrangers. [...] Ne cesse jamais d'être un étranger pour moi car c'est ce qui me fait aimer nos petites séparations continues [...]. Étonne-moi. Divisons-nous en mille personnages à partir de nos deux nudités entrechoquées[97].

Touchons-nous ! Réellement et métaphoriquement. On commence à mourir lorsqu'on cesse de toucher et d'être touché, quand on est coupé de la peau des autres. Cesser de toucher et d'être touché, c'est cesser de se sentir vivant et existant, accepté, accueilli, écouté et entendu. C'est aussi cesser de croire qu'on compte pour quelqu'un, qu'on occupe un espace bien à soi. À l'étape suivante, c'est le sens du regard qui peut nous échapper. Le sens du regard, oui, et non celui de la vue. La dégringolade

---

97. P. Bruckner et A. Finkielkraut, *op. cit.*

mortelle s'accélère alors, car dans le regard coulent la vie, la tendresse, l'identité, la rencontre, le désir… Quand plus aucun regard ne se pose sur soi, c'est toute la vie qui cesse de nous regarder. Dans un excellent documentaire, Louise Forestier[98] dit que la femme d'un certain âge (au passage de la cinquantaine) «n'est plus dans le regard de l'homme». «C'est terrible, dit-elle, bouleversée et bouleversante, mais c'est ainsi. Elle n'y est plus.» C'est vrai que c'est bouleversant. Et terrible.

Mon amie, la compagne de Jean dont j'ai parlé plus tôt, s'est vue disparaître elle aussi du regard de l'homme aimé. Terrible et bouleversant de voir ensuite celui-ci s'animer dans les bras d'une plus jeune et plus belle. Mais tellement plus terrible et bouleversant de croire qu'il a pu en finir avec la vie parce qu'il a cessé de voir son fringant reflet dans la pupille d'une jeune femme… Quelle tristesse en effet de constater que la quinquagénaire n'est plus dans le regard de son vis-à-vis. Mais la réalité de ces hommes n'existant que par le chatoiement de leur queue dans l'iris d'une nymphette est bien plus pathétique encore…

Lorsque plus personne ne nous regarde, c'est comme si toute la vie cessait de nous inclure dans son mouvement, de nous embrasser. Sans être une question d'âge, cela arrive fréquemment avec l'âge. L'enfant, le nourrisson qui n'est pas regardé, commence à mourir plutôt qu'à vivre et à s'épanouir. Les personnes âgées vivant seules sont parfois si peu regardées qu'elles en viennent à ne plus supporter le regard d'autrui et à s'en effrayer.

L'autre jour, au supermarché, une dame dans les 75-80 ans que je croise occasionnellement me dit sèchement :
  « Pourquoi me regardez-vous ainsi ? »

---

98. Quinquagénaire et interprète québécoise de renom. La série *Baise-Majesté*, portant sur la sexualité féminine, est une œuvre de Francine Pelletier télédiffusée sur la chaîne canadienne Canal Vie à l'automne 2004.

« Je ne vous regarde pas "ainsi". Je vous ai juste saluée du regard », que je lui réponds, mes deux yeux souriants bien plantés dans les siens.

Puis, après un silence :

« Ah bon… ? Je dois avoir perdu l'habitude d'être regardée », conclut-elle, un peu contrariée.

Deux ou trois semaines plus tard, au même endroit, nous tombons l'une sur l'autre. Son regard venait à la rencontre du mien, me cherchait et je faisais mine de ne pas la voir…

« Pourquoi me regardez-vous ainsi ? » lui dis-je en boutade.

Nous avons pouffé de rire. Et dans l'éclat de son rire, il y avait des sons tout clairs. Comme une voix de petite fille fraîchement déménagée, à son premier jour dans la grande cour de l'école, seule, frêle, en quête d'amitié…

ÉROTISER LA TENDRESSE

Qu'a-t-on contre la tendresse ? Pourquoi la toise-t-on comme une sorte de bâtarde ou de pis-aller ? La sexualité et l'érotisme sont tendresses et manifestations de tendresse. La sexualité et l'érotisme ont cette faculté de polir, d'amollir, de moirer, d'« attendrir »… même les pierres les plus rugueuses. Je ne parle pas de la sexualité pornographe que je dénonce ici qui, elle, ne fait que durcir et endurcir.

La tendresse, j'en suis certaine, est le levain du pain érotique quotidien. Loin de l'éroder, elle exerce sur lui une double action : elle le rend plus dense et à la fois plus léger. La tendresse, sans annoncer d'emblée l'intimité physique génitale, ne l'exclut pas. Elle se situe partout sur le chemin qui y mène sans forcément qu'on effectue l'entier parcours. Elle n'a pas sa place dans la promenade avec un partenaire sexuel d'occasion, puisque avec lui on n'est pas là pour s'attendrir, on est là pour baiser : d'une manière prévisible, dans un déroulement connu et sans surprise qui se conclut avec l'éjaculation de l'homme et la feinte féminine. Dans une alliance érotique profonde et tendre, il n'y a pas de place pour la simulation.

ÉROTISER LE LIEN

Le lien érotique est qualitativement proportionnel à la capacité d'investir et de nourrir la relation sur le plan de l'imaginaire. Nul couple ne peut se passer de la participation de l'imaginaire et de l'espace lié au temps présent. L'érotisme ne s'enracine pas dans le pouvoir ou dans le savoir-faire. Il s'ancre dans la présence et la disponibilité, dans le savoir « être avec ». Notre culture insécurise les hommes et les femmes en les assommant de leurs différences et de leurs oppositions. Les amants passent leur temps à questionner : « Tu aimes ça ? C'est bon ? T'as joui ? C'était bien ? » On voudrait contenir l'érotisme dans une recette, une technique, une méthode, une sauce qu'on refait, toujours avec les mêmes assaisonnements, qu'on brasse pendant tant de temps, de la même manière et qu'on entrepose en attendant de resservir... L'érotisme ne se contient pas dans des petits plats ! Parfois, il surgit après cinq secondes de rencontre, parfois après cinq ans, parfois jamais. Lorsqu'il advient, il peut continuer d'advenir toujours. Il subsiste si le mystère subsiste, si la fascination, l'étonnement et l'admiration s'exercent, se renouvellent, se re-fécondent.

ÉROTISER L'IMAGINAIRE

Le lien érotique libère et magnifie le plaisir et le vouloir-vivre. Mais le vouloir-vivre est une merveille de chimère puisque nous sommes condamnés à mourir. Le bouddhisme, le taoïsme et les autres doctrines qui admettent la volupté rattachent le désir de plaisir fusionnel à une quête de l'absolu. Je crois que les conjoints dont l'interaction érotique est vivifiante sont ceux qui cultivent l'illusion comme faisant partie intégrante de la réalité. J'estime de surcroît qu'il y a, en une seule personne, le potentiel pour en satisfaire une autre pendant 10 000 ans si l'on accepte l'illusion, si l'on accueille l'idée que réalité et illusion s'enchevêtrent dans une même contexture. Ne pourrait-on pas, comme le propose Breton, non pas repousser l'accoutumance parce qu'elle est bien réelle, mais faire en sorte par l'investissement imaginaire que cette routine, au lieu de déboucher sur la lassitude, « renvoie à un dispositif de miroirs reflétant sous les mille angles que peut prendre pour moi l'inconnu, l'image toujours plus surprenante de l'objet d'amour et de mon propre désir[99]. »

Le goût de fusionner, de découvrir et de partager se nourrit de l'attrait pour la nouveauté et le changement. C'est un fait dont on a déjà parlé. Voilà pourquoi on dit que le dynamisme érotique est, dans le couple stable, l'une des dimensions les plus chargées de rétrécissement. Est-il pensable que l'exclusivité sexuelle intensifie la sensibilité érotique des partenaires plutôt que de l'émousser ? L'effet stimulant magique du nouveau partenaire est-il suscité par les caractéristiques effectives du changement ? Se pourrait-il que cet envoûtement soit le produit de l'imaginaire, c'est-à-dire qu'il soit créé par l'idée du changement plutôt que par le changement lui-même ? Je suis persuadée qu'une personne peut être et demeurer un geyser de satisfaction érotique pour une autre personne à la condition expresse que soit investi l'imaginaire érotique. Tout me paraît dépendre bien plus du projet érotique subjectif de l'individu que de la réalité.

Un couple, s'il n'est pas absurde, unit deux amants. Et pour rester amants, il faut garder à l'esprit qu'on ne s'est pas rapprochés pour accomplir des tâches, pour gagner plus d'argent et payer des maisons. Le but premier de la réunion : partager le plaisir

---

99. André Breton, *op. cit.*

et la sexualité, jouer. Quand on s'y abandonne comme s'il était à la fois inaugural et terminal, l'accouplement reste voluptueux, même après des années de vie commune, même avec le temps qui chiffonne les corps. Plus on est lucides et conscients de nos limites et de notre finitude, plus on vit l'intimité érotique comme un privilège ultime, plus voluptueuse et précieuse sera cette intimité. L'ardeur érotique renouvelée appartient à ceux qui, chaque fois qu'ils font l'amour, le font comme si c'était la dernière.

Le lien érotique devrait s'amplifier, se consolider et se vitaliser en vieillissant plutôt que de s'étioler. Depuis notre arrivée dans le cycle de la vie, nous savons que nous avançons vers la mort. C'est cette conscience qui attise notre vouloir-vivre et notre recherche de fusion amoureuse. Plus nous vieillissons, plus Orphée rôde et nous drague, et plus nous devrions, en toute logique, avoir envie de baiser et de fusionner.

CHAPITRE 11

Le lien amoureux

Il y a bientôt 30 ans, Roland Barthes[100] trouvait le discours amoureux d'une extrême solitude. Qu'en dirait-il aujourd'hui ? Ne le jugerait-il pas d'une suprême platitude et d'un total aplatissement ?

LE CERVEAU : UN ORGANE D'AMOUR

Le cerveau n'est pas seulement le principal organe sexuel chez l'être humain. C'est aussi le principal organe affectif et amoureux.

Si l'amour n'était qu'un état d'âme greffé à une bouffée d'hormones, il ne ferait jamais long feu. Or, certaines relations amoureuses fleurissent et prospèrent. Qu'est-ce que l'amour ? Nous avons essayé dans la première partie de ce livre de cerner un peu cette formidable raison de vivre dont la littérature propose cent et mille visages. Tout le monde s'entend pour dire que le sentiment amoureux se distingue du simple désir sexuel et certains lui attribuent une spécificité neuronale. Bartels et Zeki[101] ont montré que dans le cerveau des personnes amoureuses s'activent simultanément quatre aires qui ne réagissent pas lors d'études portant sur des émotions agréables autres que le sentiment amoureux. En revanche, le désir observé isolément stimule certaines régions de l'hypothalamus qui restent inactives lors de tests sur l'amour, et ce, même si

---

100. Roland Barthes, *Fragments d'un discours amoureux*, Paris, Seuil, 1977.
101. A. Bertels et S. Zeki, « Les ailes du désir », *Cerveau & Psycho*, vol. n° 2, juin 2003.

les participants à l'étude vivent une relation parfaitement satisfaisante et si la flamme est intacte. Les chercheurs s'étonnent que si peu de petites aires cérébrales soient engagées dans un sentiment et une source d'inspiration aussi puissants que l'amour. Ils notent que ces chambres d'amour sont reliées à la quasi-totalité des régions cérébrales et que ces liaisons, non dangereuses, sont utilisées et mises à profit différemment d'un être humain à l'autre. Voilà qui conforte l'idée que chaque amour est unique et que les personnes engagées dans le lien amoureux sont inégalement douées pour enrichir et fortifier ce lien.

Quand je dis « je t'aime », cela ne signifie pas seulement « moi aime toi », ce qui est assez gratifiant en soi. La déclaration « je t'aime » sous-entend aussi « je t'aime TOI », donc pas les autres ou différemment des autres. La personne ainsi célébrée s'allume parce que l'autre éclaire et illumine son estime personnelle et le sentiment de sa valeur.

Nous aimons parce que nous pensons

Nous sommes capables d'aimer parce que nous sommes capables de penser. Parfois, nous aimons trop ou mal. Cela n'est pas forcément lié à l'effervescence ou à la noblesse de notre pensée. L'amour n'occupe pas que le champ des tripes et de l'émotion pure. Il renferme et véhicule une indéniable composante intellectuelle. On raille celui-ci d'être trop cérébral en amour, celle-là de trop analyser ses sentiments. On dira qu'ils calculent alors qu'ils réfléchissent. Qu'elle est haïssable cette manie d'opposer l'émotion à la raison ! Aussi détestable que cette tendance récurrente à dresser l'homme et la femme l'un contre l'autre. Cette vue antagoniste a été si bien intégrée qu'il nous arrive encore de les désigner « sexes opposés ».

Les femmes et les hommes sont complémentaires. S'ils s'opposaient vraiment, on aurait construit des théories d'un « érotisme oppositionnel » qui auraient supplanté celles fondées sur la «complémentarité érotique». Il en va de même ici : le raisonnement ne s'objecte pas à l'émotion, il la complète et la couronne. La pensée renforce l'amour et peut, par elle-même, «éveiller toute la palette sensorielle de l'amour». Cort Pederson[102] a souligné cette admirable capacité humaine de préserver l'état neuronal de l'affectivité par le seul pouvoir de «l'œil de l'esprit». Là où les animaux ont besoin de leur nez, de leurs yeux et de leurs oreilles véritables, c'est notre cerveau analytique qui alimente et protège les circuits de l'amour et de l'attachement. Et qu'importe que l'amour éternel soit un mythe si nous sommes artisans de nos mythes et les aimons jusqu'à la mort !

L'amour rend intelligent

C'est connu et reconnu que la vitalité sexuelle stimule le cerveau et rend les gens plus alertes.

Les recherches de Werner Habermehl[103] concluent que des rapports sexuels réguliers favorisent l'intelligence. Rien de plus compréhensible puisque l'activité sexuelle augmente l'afflux d'adrénaline au cerveau et cause la production de cortisol, hormone qui stimule la matière grise. Le scientifique soutient également que l'apport d'endorphine et de sérotonine déclenché par l'orgasme renforce la confiance en soi et donne, en même temps que la forme physique, un entraînement mental. Si vous ne l'aviez pas constaté, il est grandement temps de vous y mettre !

Les personnes qui sont en couple vivent plus âgées et en meilleure santé, physique et mentale. Sans les blinder contre toute adversité, l'amour les rend moins vulnérables à la peur, à la morosité, aux angoisses. Le simple fait d'être plus heureux rend plus doux, plus courageux et plus vivants, plus généreux et moins égocentriques ! En un mot, pour faire de beaux petits vieux, restons amoureux !

---

102. Cité par Nathalie Angier, *op. cit.*
103. W. Habermehl, *Cerveau & Psycho*, vol. 2, juin 2003.

Nous élevons nos petits par amour et l'amour nous élève

L'amour est complexe. Chez nous, humains, il serait presque biologique parce que nous élevons nos petits (du moins, nous faisons de gros efforts !). La plupart des espèces animales à reproduction sexuée déposent leurs œufs et poursuivent leur route nonchalamment.

Pour survivre et pour grandir, notre marmaille a besoin d'amour. Par ricochet, nous nous «élevons» en l'aimant. Les générations humaines s'élèvent mutuellement. L'amour est complexe dans le cerveau et dans son expression quotidienne. Il lui faut, dans le crâne, une activité cérébrale spécifique et un équilibre général entre aires activées et désactivées. Il a besoin, dans l'expérience, d'une vitalité propre et d'un équilibre personnel et relationnel. L'amour jouit de ce fantastique pouvoir de désactiver dans les neurones les affects négatifs de tristesse, de peur ou d'agression et d'injecter dans le tandem amoureux la confiance, le plaisir et la jubilation. J'ai toujours cru, senti et éprouvé que l'amour fait mentir le proverbe disant qu'il rend aveugle. Quiconque a été amoureux sait bien que c'est tout le contraire : l'amour fait voir la vie en multicolore et en cinémascope, il révèle des reliefs et textures, des angles et des perspectives jamais soupçonnés auparavant. En bref, l'amour donne le don de double vue : on ne voit jamais si clair et si loin que lorsqu'on est en état d'amour.

Ne nous leurrons pas. Je me méfie plus que quiconque des discours extatiques et hystériques de ceux et celles qui clament, proclament et déclament leur magnificence amoureuse : «C'est magique, grandiose, je flotte… J'ai l'impression de naître à la vie… Rien n'est plus beau, plus grand, l'amour… l'amour… y a que ça de vrai… » Il y a des exhibitionnistes de l'amour comme il y a des exhibitionnistes sexuels. N'est-ce pas quand on est déçu d'être déçu qu'on se sent obligé de tartiner épais ? Se pourrait-il qu'on beugle parce qu'on veut ressentir ce qu'on ne ressent pas ? Comme si l'on espérait qu'à force de versifier les mots de l'amour on finisse enfin par découvrir et par éprouver ce qu'ils recèlent.

À TA SANTÉ, L'AMOUR !

Le fait de partager atténue le stress et donne du sens aux faits et aux actes cependant que la solitude dilue le sens. Nous avons tous eu l'occasion de lire des rapports d'études soulignant que les personnes seules sont plus souvent malades, que l'engagement a une fonction tranquillisante, que le mariage est bon pour la santé, pour celle de l'homme plus encore que pour celle de la femme.

Une importante étude américaine a montré que les hommes mariés se tirent mieux d'une crise cardiaque que les célibataires. En considérant tous les facteurs de risque tels le tabac, l'obésité, les antécédents d'accident cardiaque, l'âge et l'alcool, les meilleures chances de survie vont toujours du côté des hommes officiellement mariés[104]. Le mariage rend plus vigoureux et plus heureux et, aussi bien en Europe qu'en Amérique, les recherches sérieuses montrent un niveau de sérénité bien plus élevé chez les gens mariés que chez les célibataires.

Plus on est conscient que l'amour est fragile, jamais acquis et qu'il peut toujours nous échapper, plus il a de chances de durer. Certains états névrotiques ne peuvent être apaisés que par l'amour. David Servan-Schreiber[105] explique que même chez les hommes qui accumulent stress, hypertension et cholestérol, l'amour de leur femme a un effet protecteur, que parmi les femmes atteintes d'un cancer du sein, celles qui bénéficient de la « protection » affectueuse d'un conjoint ont un taux de survie deux fois plus élevé.

Dans des institutions pour personnes âgées où j'ai travaillé, la corrélation entre vie affective et santé était flagrante. Chez les hommes et les femmes passant de l'état de solitude au statut

---

104. Cité par A. Clare, *op. cit.*
105. David Servan-Schreiber, *Guérir*, Paris, Laffont, 2003.

d'amoureux ou d'amante, l'état de santé s'améliore, la consommation de médicaments diminue, les forces renaissent de façon durable[106]. La sérénité et le plaisir immanents à la relation affectueuse concoctent un remède naturel remarquable pour le corps et le cerveau. La gratification émotionnelle et identitaire, la satisfaction d'être à nouveau perçu comme un homme ou comme une femme par un autre homme ou une autre femme et par l'entourage, malgré la vieillesse et la fragilité, constituent de réels moteurs de vitalité et d'intérêt à vivre. Pouvoir être soi-même avec quelqu'un d'autre jusqu'au bout de la vie, complètement soi-même, faible et vulnérable ou fort et radieux, pouvoir partager rires et larmes, se sentir utile, valable et important… Aimer et se sentir aimable et aimé remplacent bien des remèdes.

L'AMOUR REND FOU ET PUIS SAGE

Vous avez certes constaté qu'on peut aimer sagement plusieurs personnes à la fois. En revanche, on ne peut gratifier qu'une seule personne à la fois d'amour passion. L'état passionnel est si envahissant et si obsédant qu'il est absolument impossible de s'éprendre de deux êtres simultanément. L'amour fou rend fou. Il mène, littéralement, à la maladie : perte de sommeil et d'appétit, accès d'angoisse et de panique, mains moites, cœur en chamade, yeux hagards, distractions menant à se promener nu sous la pluie, à jeter la vaisselle et à laver les ordures… État euphorisant et obsessionnel comparable aux transports induits par l'effet de la cocaïne ou des amphétamines.

Contresens de l'amour qui nous fait rechercher simultanément la drogue de la passion et son contrepoison, le baume apaisant de cette démesure. Vivement la sécurité, la sérénité et le bonheur tranquille qui empêcheront le cœur d'exploser ! Les issues de l'amour fou sont limitées. Soit il se convertit en un sentiment de fond

---

106. Dans la mesure où leur entourage et en particulier leurs enfants (de 40 ou 50 ans) ne se scandalisent pas de trouver leurs vieux en transe érotique et amoureuse.

rasséréné et partagé, soit il s'éteint ou se heurte à l'impossible, laissant une impression de vide et de dépossession… Dans le premier et le meilleur des cas, une fois l'obsession et la frénésie estompées, on éprouve une affection solide contrant les débordements et les envies démentielles des Tristan, Iseut, Roméo et Juliette qui sommeillent en chacun de nous. *Roméo et Juliette*, quelle tragique histoire d'amour! Comme ils sont romantiques! N'espérons-nous pas au fond que *Juju* se réveille *in extremis* et empêche son amoureux d'avaler le poison? Qu'ils bénéficient tous les deux de cet «antidote neurochimique» qu'est l'affection profonde et raisonnable?

L'état passionnel tuerait s'il durait. Accueillons sa transformation en un lien consistant, amoureux et serein qui se réveillera et s'enflammera dans le pétillement des rapprochements érotiques.

L'AMOUR ET LE RISQUE DE LA FIDÉLITÉ

L'amour donne le goût du risque. L'amour donne le goût de la fidélité. Choisir la fidélité, c'est prendre le beau et grand risque de mettre tous ses œufs dans le même panier!

C'est l'amour et jamais le sexe qui donne le goût de la fidélité. Pas le devoir de fidélité, pas l'obligation et encore moins la tâche: le GOÛT de la fidélité. Ces années-ci, l'amour est libre, non obligatoire. On peut faire sans. Dans l'histoire, cela n'a pas toujours été autorisé. L'amour est libre aussi dans le sens qu'il est un espace «vacant» ne demandant qu'à être occupé. Le sexe est bien moins libre. On y est contraint, socialement et culturellement. On nous bourre le crâne de nos immenses, factices et obligatoires besoins sexuels.

Pour bien des gens, être infidèle équivaut à s'adonner, dans la vraie vie, à une relation sexuelle «complète[107]» avec une autre

---

107. «Complète» signifiant pour la majorité hérérosexuelle «incluant la pénétration vaginale». Toute la planète sait que pour Bill Clinton, ex-président des États-Unis, la pipe éjaculatoire est aussi innocente qu'un bisou amical et n'a rien à voir avec la «relation sexuelle».

personne que sa ou son bien-aimé. À mes yeux, la fidélité amoureuse consiste à réserver exclusivement à l'élu certaines sphères de sa vie. Le lit en est une parmi d'autres sur le territoire consacré. C'est aussi privilégier cette seule personne pour certains partages, pour le dévoilement de la part la plus intime de soi. Dans l'esprit du commun des mortels, la fidélité renvoie à la monogamie et à l'exclusivité sexuelle. C'est au couple qu'il revient de sceller le pacte amoureux par une entente quant à sa « gestion » de la fidélité, entente par laquelle on précise les domaines réservés. Peut-être y a-t-il autant de façons d'être fidèle qu'il y a de manières de « tromper », selon les visions singulières de chaque personne ou de chaque alliance amoureuse. Je conçois pour ma part qu'accorder à une autre personne ce que j'avais convenu de réserver à mon fiancé est une infidélité. Imaginons une situation toute moderne : un homme ou une femme engagé dans un couple se consacre, par Internet, à une personne virtuelle qu'il investit émotionnellement, *fantasmatiquement* et affectivement durant une période significative. S'agit-il là d'une infidélité ? De nombreux couples traversent des expériences de cette nature qui perturbent leur aplomb.

Pendant plusieurs mois, mon conjoint a entretenu une relation intersidérale avec une femme qu'il avait croisée une fois dans la vraie vie. Rien d'explicitement sexuel. Pire : des propos évocateurs, suggestifs, d'une texture très émotionnelle et métaphoriquement fort érotiques. Il lui écrivait qu'elle le faisait rêver, qu'il avait toujours hâte de retrouver leur communication virtuelle. Il lui murmurait qu'elle et lui étaient dans le même espace-temps, qu'elle le tirait de sa routine, de sa logique de performance, de ses contraintes quotidiennes. J'ai découvert le tout par inadvertance alors qu'ils s'étaient donné un rendez-vous réel la semaine suivante. Devant tout ce lyrisme sensuel qu'il lui destinait depuis des semaines, je me suis sentie vraiment trahie, trompée. Moi qui étais

convaincue que sur le terrain profond de la complicité émotion-
nelle certaines choses n'appartenaient qu'à nous deux, quelle gifle !
Si au moins, à sa décharge, nous avions traversé à ce moment-là
un creux de vague, des difficultés de couple… Mais non ! Nous
filions le parfait amour et le parfait bonheur durant cette période…
Nous sommes passés à un cheveu, vraiment à un cheveu d'ange,
de nous quitter tellement ma désillusion était grande…

Chantale

Cet incident est survenu dans la vie de Chantale et Benoît il y a plus d'un an. Dans l'histoire de leur amour, il y a cette bavure, indélébile pour elle, irrécupérable pour lui. Selon elle, il a été fourbe et elle ne croyait pas qu'il pouvait l'être. « Pendant que nous construisions notre relation, dit-elle, il la démantelait par-derrière. La donne n'est plus la même, car je sais maintenant qu'il est capable d'être intensément présent, avec moi, tout en étant avec une autre, *fantasmatiquement*. » Cet épisode lui est resté planté en travers du cœur. Lui, ça l'énerve au superlatif qu'elle en parle encore. Il ne comprend pas que cette « non-histoire » ait causé tant de dommages dans leur relation.

Pourtant, Chantale ne souffre ni d'insécurité affective ni d'étroitesse d'esprit. Elle convient que des amoureux peuvent, chacun de leur côté, avoir des fantasmes érotiques et conçoit pouvoir passer l'éponge sur une incartade sexuelle isolée. Pour elle, cette histoire est « d'une autre nature » en raison de sa durée et de son organisation. Elle l'a chamboulée et a ébranlé sa vision de son compagnon, du couple qu'ils forment, de la transparence de leur relation. Chantale ne pardonne pas à Benoît d'avoir échafaudé et soutenu ailleurs une aventure affective alors qu'ils avaient convenu que cette contrée n'appartenait qu'à eux deux ! Elle parvient à oublier mais a perdu confiance.

Lorsqu'ils établissent les bases de leur relation et le sens qu'ils donnent à la fidélité, les couples du IIIe millénaire doivent tenir compte de la présence d'Internet et des infidélités virtuelles. Je suis certaine que les couples se déchirant et se séparant à cause d'incartades intersidérales iront croissant. Sans compter que le Web peut, en soi, tenir lieu d'amant ou de maîtresse lorsque l'un des partenaires y est accro. Le nombre de personnes fragiles aux dépendances, à l'amour ou au sexe, au jeu, à l'alcool ou à d'autres substances ainsi que le nombre de celles aux prises avec un toc (trouble obsessionnel compulsif) augmentent. Ces personnes sont aussi les plus susceptibles de devenir accros du Net. Il n'y a pas que les timides, les isolés, les personnalités de type toxicomaniaque, les boulimiques et les carencés sociaux, affectifs ou relationnels qui trouvent dans Internet le jouet rêvé pour remplir du vide. Combien de séducteurs compulsifs, en contrôle de leur faiblesse dans le réel, craqueront devant la facilité de la cyberconquête, ébréchant ainsi leur histoire d'amour jusqu'à l'abîmer irrémédiablement ? Combien d'éternels insatisfaits y poursuivront une quête insatiable qui les éloignera toujours plus d'une satisfaction bien incarnée ? Combien de temps précieux sera dilapidé dans le virtuel plutôt que consacré joyeusement au réel ?

C'est maintenant si facile de se procurer du sexe et du désir : en papier, informatisés, télévisés, pelliculés, téléphonés, sur commande, dans des lieux particuliers, dans la rue, dans notre chambre à rêver… Simple de faire provision de sexe, virtuel ou palpable. Mais d'amour… ? L'amour ne se magasine pas[108].

L'AMOUR EST REBELLE

L'amour, c'est la révolution à deux, disait Francesco Alberoni[109]. La révolution n'a pas sa place dans un univers de conformité comme le nôtre. Pas étonnant qu'on ne sache plus trop de quel bois se chauffe l'amour, à quelle enseigne il loge, à quel autel

---

108. Les Québécois magasinent, les Français de France font du *shopping*.
109. Francesco Alberoni, *Le choc amoureux*, Paris, Ramsey, 1981.

il se nourrit… On ne reconnaît plus son visage. On ne trouve plus sa maison. On en rêve comme d'un revenant ou d'un fantasme, on le craint comme on craint les fantômes, on le galvaude, on l'assimile au désir.

Le sentiment amoureux a toujours été libre et souverain. On a pu, dans le passé, obliger une personne à vivre avec une autre, à l'épouser ou à coucher avec elle (cela se fait encore, hélas, dans certaines cultures), mais on n'a jamais pu forcer à aimer. L'amour est intérieur et insaisissable. On peut enchaîner quelqu'un, on n'emprisonne pas l'amour. On sait indéniablement qu'une personne vit avec soi, qu'elle partage notre lit, qu'on en jouit ou non, qu'elle jouit de soi ou pas… On ne sait jamais infailliblement qu'elle nous aime. Voilà toute la beauté de l'amour : son incertitude, sa fragilité, son indépendance, sa conquête et sa re-conquête.

L'amour circule quand deux sentiments se contactent et que les messagers de ces sentiments commencent à interagir. Parfois, lorsque les notes musicales de l'amour se rencontrent et s'accordent, cela donne du Chopin ou du Mozart… Il faut alors prendre la pleine mesure de ce précieux et rare bonheur et le cultiver. Car il arrive aussi qu'en présence d'un sentiment amoureux vif, authentique et réciproque, il y ait de la cacophonie. C'est précisément quand on est dans la cacophonie qu'il est crucial de se souvenir que quelquefois… ça donne du Chopin ou du Mozart…

Pourquoi les relations entre les hommes et les femmes sontelles si difficiles ? se demande-t-on ici et là. Chaque fois, j'ai le sentiment que la question est biaisée. Ce ne sont pas les rapports entre les sexes qui sont laborieux, c'est le rapport d'intimité et la durée. Si la difficulté d'aimer et de durer dépendait des différences sexuelles, les couples homosexuels seraient impérissables et suprêmement harmonieux. Or, on sait bien que ce n'est pas le cas et que les couples composés de personnes du même sexe vivent les mêmes misères affectives. C'est du côté de la capacité d'engagement et d'intimité qu'il faut chercher. Dans notre monde *hypernombriliste* et d'hyperconsommation, il peut difficilement en être autrement. L'intimité et l'engagement sont des biens non consommables et on ne sait que faire des objets *non-consommation* ! Les personnes qui s'unissent, homme et femme, femme et femme ou homme et homme, et qui veulent témoigner de la pérennité de l'amour doivent céder du *je me moi* au profit du *nous* et se pencher sérieusement sur leur appétit de consommation...

L'amour et l'érotisme ne datent pas. Si nous savions bien vieillir, l'amour et l'érotisme le sauraient davantage avec nous. Que nous faut-il conquérir ou reconquérir, balayer ou neutraliser pour effleurer la plénitude affective et érotique ?

CHAPITRE 12

Saveurs oubliées et talents égarés

LE DÉFI ÉROTIQUE DE L'ENGAGEMENT

Engagement… Voilà un mot qui porte en lui-même ses contradictions. Il signifie à la fois le risque (gageure) et l'assurance (le gage en caution). Peu importe que l'engagement affectif soit scellé par le mariage ou consenti dans l'union de fait, on sait qu'on prend un risque et qu'il n'y a pas de garantie. L'anneau est le gage de notre confiance et de notre volonté. À défaut de pouvoir prendre une assurance-vie sur la durée du couple, cette alliance nous unit, nous rassure, nous attache symboliquement.

L'engagement est un acte de raison. C'est une décision rationnelle émergée d'un état émotionnel. On «tombe» amoureux, on «crève» de désir, on est «dévoré» de passion. L'engagement, on n'y «tombe» jamais, on n'en «crève» pas. On n'est jamais «dévoré» d'un fait de raison. Devant la possibilité de se promettre, on est comme l'artiste peintre qui, à une croisée de son parcours, regarde ses tableaux. Certains sont lumineux; d'autres sont moins réussis; d'autres sont carrément des croûtes. Le dernier est souvent sans lien avec le précédent. Ils sont sans histoire les uns avec les autres, ne sont pas unitifs et chacun regarde de son côté. Choisir de s'engager, c'est décider qu'on a fini de peindre des tableaux unitaires, qu'on a assez écrit de morceaux de texte qui ne formeront jamais un livre. C'est décréter qu'on se dédiera désormais, avec une personne élue, à la création d'une œuvre suivie, qu'on mettra en commun nos pinceaux, nos couleurs et nos talents au service de cet acte créatif.

La matière première à l'accomplissement de l'engagement est l'amour. Pour s'engager, il faut nécessairement que des petits bouts de soi capitulent. Il faut accomplir « le meurtre délibéré du petit monstre d'égocentrisme que nous avons tous été[110] » et qui se réincarnera à l'occasion, à des degrés divers. Dans notre culture de l'exorde, il en coûte de s'engager : les préludes et les introductions sont favorisés, les débuts sont facilités, la nouveauté est récompensée, les commencements sont encouragés, les recommencements sont arrosés, les courts termes sont imposés, « l'entreprendre » est valorisé… Tous les moyens nous sont fournis pour capter l'attention au vol, pour toucher, charmer et éblouir dans l'instant et le court terme.

On franchit allègrement le pas de chat qui mène à l'orée de l'autre, on balbutie les mots sensuels de l'intimité, on fait intrusion rapide et approximative dans la bulle d'autrui puis on rentre chez soi, en soi, sous sa carapace. Le chenal étroit de la transition, ce détroit inconnu qui fait passer de l'attrait passionnel à la naissance de l'attachement puis à l'art d'évoluer et de construire, n'est pas repéré ou peut-être pas même envisagé. Est-ce lié à l'économie ? À la parcimonie ? À la peur ? À la tyrannique fringale qui nous porte déjà vers un autre « objet » à consommer ? Certes, la continuité, la durée, le développement et les prolongements exaltent moins que les feux d'artifice momentanés. Et le long terme, l'engagement, les rides d'une relation ne nous sont jamais présentés pour leur potentiel d'érotisation et d'émerveillement !

L'engagement oblige à se solidariser autour d'un projet commun, convie au partage privilégié de toutes les facettes de l'intimité, mobilise la droiture amoureuse. Ceux qui allèguent qu'il est dans la nature de l'homme de se disséminer aux quatre

---

110. Patrick Lemoine, *Séduire. Comment l'amour vient aux humains*, Paris, Robert Laffont, 2004.

vents nivellent par le bas le statut humain. Nous ne sommes pas des rongeurs dont les acrobaties sexuelles dépendent strictement de la concentration hormonale ! Chez nous, la loyauté érotique dépend de données culturelles, sociales, éthiques, subjectives et de multiples facteurs pas même limpides pour les dieux.

Je participais récemment à un débat télévisé au cours duquel un jeune homme proclamait que, pour des considérations testiculaires, l'engagement durable d'un homme était une impossibilité. Ce triste argument, aussi classique qu'usé, m'incite à revenir un moment au rapport entre monogamie et hormones masculines. Des recherches[111] ont démontré que l'homme évoluant dans une relation monogame et durable utilise moins sa testostérone, cette substance endocrinienne à la réputation surfaite. Chez lui, la production androgénique ne décline pas, mais tout se passe comme si l'homme heureux et serein n'en voulait pas ou n'en avait tout simplement pas besoin. Évidemment, ce serait une autre histoire s'il partait en chasse et devait combattre avec des brutes rivales ou si une meute d'aspirants à « sa femelle » envahissait son territoire !

Les études sérieuses sont de plus en plus nombreuses à éclairer la complexité de la relation entre la testostérone et le fonctionnement génital masculin. Par exemple, si les érections nocturnes spontanées sont subordonnées au taux de testostérone en circulation[112], les bandaisons diurnes, c'est-à-dire l'excitation sexuelle résultant de stimuli érotiques, n'auraient rien à voir avec cette provision hormonale. Quant au rapport entre testostérone et agressivité, il serait encore plus alambiqué. Affirmer que l'agressivité masculine est biologiquement enracinée en l'homme et qu'elle fait partie de son essence esquive la recherche de vérités sur les violences masculines. Einstein disait que tout problème

---

111. Voir, pour plus de détails, Natalie Angier, *op. cit.*
112. Ces érections seraient moins fréquentes lorsqu'il s'agit d'une hormone de remplacement plutôt que de l'hormone produite naturellement, Anthony Clare, *op. cit.*

a une solution et que, si on ne trouve pas, c'est que nous avons mal posé le problème. On ne trouvera jamais de solutions à l'agressivité des hommes si on les déclare d'emblée prisonniers de leur chromosome Y et de leur incendiaire testostérone ! Revenons à l'engagement.

J'ai dit plus tôt que l'amour est libre. L'engagement amoureux l'est encore davantage. Ce libre choix lui donne tout son sens et fait rêver. Qui n'aspire pas à choisir et à être choisi, à faire partie d'un duo amoureux, loyal, joyeux, à l'abri des soubresauts et des risques du batifolage, du badinage et du butinage bien plus épuisants que dynamisants ? C'est un précédent dans l'histoire du monde occidental que chacun ait réellement aujourd'hui les pleins pouvoirs sur sa vie conjugale et sentimentale, car même la révolution sexuelle des années 1960 et 1970 exerçait une contrainte.

Philippe Turchet souligne avec à-propos que les hommes et les femmes n'ont jamais eu autant qu'aujourd'hui, les moyens d'être heureux ensemble puisqu'ils ont, plus que jamais, les moyens d'être heureux seuls. Mais au-delà de l'empoisonnant « syndrome d'amour[113] », force est de reconnaître que la promesse individualiste n'a pas livré la marchandise, n'a pas tenu la route du bonheur conjugal puisqu'on ne s'est jamais autant quitté. Je suis portée à croire que c'est précisément parce que c'est l'individu, et non le couple, qui a remplacé la famille comme cellule de base de notre société qu'on se sépare si inconsidérément. Chez les couples sans enfant, on est tenté de lever les voiles à la première contradiction. Au plus banal désenchantement, on fait son baluchon et on part combler ailleurs ses besoins et frustrations. On promène ses manques d'un déversoir à l'autre

---

113. Philippe Turchet, *Pourquoi les hommes marchent-ils à la gauche des femmes ?*, Montréal, Éditions de l'Homme, 2002. L'auteur définit le syndrome d'amour comme étant la crainte inconsciente d'être quitté qui amène la personne à adopter des comportements et des attitudes d'insécurité, de contrôle, de possession et de domination qui nuisent à la relation.

puisque, finalement, les désirs ne sont jamais exaucés que provisoirement et superficiellement.

Et puis, on mélange tout : liberté et défaitisme, pessimisme et réalisme. On nous assomme de statistiques désespérantes. On nous répète *ad nauseam* que la moitié des couples se séparent après deux ou trois ans. Pourquoi n'insiste-t-on jamais sur les 50 % qui restent ensemble et qui auraient bien pu rompre, puisque c'est si facile ? La longévité conjugale a doublé depuis l'époque de nos grands-parents et les unions durables tiennent 50, 60 ou 70 ans actuellement. Elles sont bien longues, les vies de couple, en comparaison de l'époque où la mort de l'un faisait office de divorce libérateur.

Avec l'attachement et l'engagement, la démesure s'estompe. Cela n'est pas un drame. Ni un malheur. Tant mieux si l'amour fou est une obsession dont on guérit en l'assouvissant ! Cette guérison ne signe pas l'arrêt de mort de la passion. Elle la transforme. L'inclinaison fougueuse qui consumait les amants évolue avec l'engagement dans une histoire au long cours : le souffle s'allonge, moins survolté, la vision s'élargit et se projette loin devant.

Relation, attachement et engagement se mettent ou ne se mettent pas en place après la rencontre. Par choix ou par inaptitude, plusieurs se complaisent au stade des reniflements. Ils font partie du cartel des *néophiles* qui ne s'animent et ne s'allument que dans l'inusité. Pour eux, la personne connue et explorée a perdu son intérêt. Elle n'est plus désirable. Tout se déroule comme si elle était codée et marquée d'une date de péremption, non pas en raison de sa qualité propre, mais en vertu du regard de l'utilisateur-consommateur. Avec cette courte vue, on se prive d'authentiques plaisirs et de rares beautés qui apparaissent plus avant dans la relation ; on n'assiste jamais à la métamorphose quotidienne et temporelle d'une personne, d'une relation, d'un amour, d'une pensée, d'un émoi, d'un sentiment, d'un corps, d'une chevelure, d'une sensualité…

Il est certain que, lorsque les amants sont devenus familiers et apaisés par l'attachement, les parades sexuelles se font moins tapageuses. Et puis après ? Moins de brûlure n'est pas tiédeur. C'est quand les flammes ne se tortillent plus dans l'âtre que la chaleur envahit la maison, non ? N'est-ce pas merveilleux qu'un signe fugace non repérable pour autrui, tel un chevrotement de la voix, un frémissement du corps ou un sautillement de paupière, suffise chez un couple bien enraciné à faire passer l'émotion ? La sérénité du corps et la quiétude du cœur ne sont pas des éteignoirs de la volupté ni des anesthésiants affectifs. Elles enluminent. Toute la maison et toute la vie.

Boris Cyrulnik parle bien de l'amour et de l'attachement en disant en substance que l'on tombe amoureux puis, quand l'aveuglante flamme amoureuse s'estompe, on découvre le réel dans la personne aimée dans la chaleur d'un feu de braise. Alors, on explore l'autre et l'amour comme le petit avait exploré sa mère dès qu'il avait cessé d'être envahi par elle et par son amour pour elle. « On tombe amoureux et, quand on se relève…, on s'attache[114]. » La grande fonction de l'amour, c'est d'enclencher l'attachement et l'engagement.

Enfin, pour clore la question de l'engagement sur une note coquine, sachez qu'il vaut son pesant d'or et que le simple fait d'être marié est évalué à 100 000 $. Eh oui… Après les psys, les *logues*, les cartomanciennes, les curés, les gourous et le dalaï-lama, c'est au tour des économistes de nous montrer le prix de l'engagement. Avis aux célibataires : pour être aussi heureux que votre voisin marié, vous devrez gagner 100 000 $ de plus par an[115].

---

114. Boris Cyrulnik, *op. cit.*

115. Infos tirées d'un article de Nathalie Collard, dans le journal *La Presse* de novembre 2004. Pour en savoir plus sur l'étude *Money, sex and happiness : an empirical study*, voir le site de l'étude de l'Université Warwick : <http://www2. warwick.ac.uk/fac/soc/economics/staff/faculty/oswald/finalsentscanjsex04.pdf>.

Ce n'est pas demain la veille que le proverbe *le temps, c'est de l'argent* se modifiera dans la pensée populaire en « l'engagement, c'est de l'argent ». D'ici là, voyons un peu comment la variable temporelle intervient dans l'amour et la relation.

LA CONSCIENCE DU TEMPS

Il n'y a de vrai que le présent. Le plus terrible, c'est qu'à l'instant même où je l'écris, il est déjà passé !

« Je n'ai pas le temps. » « Le temps me manque. » « Ah ! Si j'avais du temps… » Ces sempiternelles récriminations m'insupportent au plus haut point. Il n'y a que dans la mort que le temps nous manque réellement puisqu'il continue sans nous. Dire qu'on n'a pas le temps équivaut à affirmer qu'on ne fait plus partie du cycle de la vie. Le temps, si fugitif soit-il, est le seul et unique bien que nous possédions, et c'est un bien limité.

Nous ne détenons rien d'autre que ce morceau de temps qui nous est alloué. Rien. De surcroît, nous ne savons même pas combien d'heures, de jours, d'années nous sont attribués ! Lorsqu'on les interroge, la plupart des personnes classent l'amour au premier rang de leurs valeurs. Étrangement, si l'on fouine du côté de leur agenda existentiel, on constate que le temps qu'elles y consacrent est inversement proportionnel à la valeur octroyée. Nous sommes si affairés à travailler, à gagner de l'argent, à consommer, à nous faire voir, à regarder les autres faire semblant de vivre à la télévision, que le temps, notre temps, s'écoule sans nous.

Il y a quelque temps (décidément !), je me suis obligée à faire l'exercice suivant : chaque fois que j'allais dire « je n'ai pas le temps », je remplaçais ces mots par « j'ai le temps… ». Plutôt que de travestir la vérité, je m'obligeais ainsi à énoncer des mots qui la reflètent : « J'ai le temps, mais je refuse parce que… », « J'ai le temps, mais je ne veux pas… », « J'ai le temps, mais je choisis de ne pas… » ou « J'ai le temps, mais je n'ai pas envie… » C'est assez hallucinant ! Le fait de remplacer le pieux mensonge « je n'ai pas le temps » par une formulation conforme à la réalité change les choix que l'on fait ou que l'on refuse de faire en toute lucidité.

Une anecdote. Durant une période d'activités professionnelles bouillonnantes, Alice, mon unique petite-fille, me demande de la garder. « J'aurais bien aimé, ma chérie, mais je n'ai vraiment pas le temps… », ai-je été tentée de répondre machinalement. Avant que ces paroles ne m'échappent, j'en prends conscience : du temps, j'en ai puisque je suis vivante. La vérité, c'est que je suis sur le point de choisir le travail plutôt qu'elle, le boulot au lieu de cette invitation au plaisir. Au moment de me raviser et de lui dire la vérité qui est « j'ai du temps, mais je préfère consacrer ma journée au travail plutôt que de la passer avec toi », je me rends compte de l'absurdité de ce choix dont je n'ai nulle envie. Qui donc m'oblige à bosser plutôt que de me laisser entraîner dans une journée de joie ? Qui est cette mégère dans mon cerveau gauche qui me dicte que je dois m'astreindre sans relâche à travailler, à produire, à réaliser, à « performer » ? C'est avec une bouffée d'allégresse que j'ai fermé mon ordinateur pour me rendre disponible au plaisir. Le temps d'aimer est trop précieux pour ne pas s'en saisir chaque fois que cela est possible !

Le temps, c'est aussi vieillir. Inéluctablement. Avoir peur de vieillir, c'est avoir peur de vivre. Oui, on se flétrit comme ces beaux sacs de cuir tout patinés, comme ces vins vieillis tout capiteux. On n'y peut rien. On peut seulement tirer la langue à la mort, en faisant l'amour jusqu'à sa porte.

Quand je prends dans mes bras cette femme que j'aime, quand je la prends sexuellement, je suis envahi d'une lucidité aiguë. Mes capacités génitales ne sont pas celles de mes 20 ans. Mais nos effusions sont intenses, sereines, moins tapageuses… J'aime nous redire combien nous sommes privilégiés de nous être rencontrés et de nous aimer. J'alimente mon état de lucidité : « Et si c'était la dernière fois que je me glissais en elle ? Et si nous ne devions plus jamais vivre semblable instant ? » Au mitan de la vie, on ressent viscéralement une certitude : notre temps est compté. Alors, le désir, le plaisir, le bonheur et la satisfaction se décuplent, rares, précieux, superbement éphémères… Je viens tout juste de me rendre compte que je ne suis pas éternel. J'ai donc cessé de vivre et d'aimer comme si je l'étais…

François, 50 ans

Je regretterais de ne pas profiter de cette réflexion sur le temps pour houspiller une dernière fois les *biologisants* de ce monde qui prétendent que les femmes devenues infécondes ne sont plus que grands-mères, mamies, mémés, aïeules, ancêtres, mère-grand. Au mitan de leur vie, elles se font accoler toutes les appellations vieillardes référant aux fonctions maternelles et maternantes et sont rarement définies comme les femmes à part entière qu'elles demeurent. Pour elles, les substantifs contenant le phonème « femme » n'existent plus. J'invite ceux qui comparent les femmes ménopausées aux femelles primates du même âge à revisiter leurs sources et leurs appuis. Bien que la ménopause soit une spécificité humaine, ce phénomène ne constitue pas la principale différence entre ces espèces. Ce sont les longues et pétillantes années de vie qui se déroulent devant les femmes après cet épisode qui les distinguent nettement de leurs cousines lointaines. En effet, ce ne sont pas seulement les ovaires de la femelle chimpanzé qui se fanent entre 40 et 50 ans, c'est tout son organisme qui se flétrit, tous ses organes qui dépérissent.

Ce sera un animal sénile, même si elle a passé une existence choyée dans un zoo américain, bénéficié des meilleurs soins médicaux et mangé toutes les bananes de ses rêves. Elle aura un âge biologique qui ne correspond pas à celui d'une femme ménopausée, mais à celui d'une centenaire soufflant ses bougies d'anniversaire[116]…

Chez la femelle humaine qui ne prend pas d'hormones de remplacement, le vagin peut s'atrophier après la ménopause. Même chez celles qui refusent l'hormonothérapie substitutive, cet effet est variable. Le clitoris demeure intact. Il reste fidèle et serviable jusqu'au bout du voyage.

En outre, la réponse sexuelle de la femme est nettement moins affectée que celle de l'homme par le vieillissement. Chez lui, les changements dans le déroulement du parcours érotique sont clairement marqués. Par exemple, l'étape de mise sous pression qui accompagnait la phase orgasmique sera tôt ou tard escamotée : l'imminence de l'éjaculation ne sera plus ressentie. En langage clair, au lieu d'annoncer : «Ahhhhh !! Je vais jouir, ma chérie !», il constatera : «Ah !?!? Ça y est. J'ai joui !» Aussi, la période réfractaire[117] sera de plus en plus longue. En avançant en âge, les personnes des deux sexes mettront plus de temps à s'exciter et à franchir l'itinéraire qui va du désir à l'orgasme. Les stimulations devront être plus soutenues et le recours aux fantasmes prendra de l'importance. Quoi qu'il en soit, le principal organe sexuel des hommes et des femmes n'est ni le *clito* ni le *rikiki,* c'est le cerveau. C'est un fait (et pas nécessairement un avantage) que les hommes demeurent féconds et aptes à procréer presque jusqu'à la mort. Les femmes restent pour leur part capables de plaisir et d'orgasmes (le pluriel n'est pas une coquille !) jusqu'à la fin de leur vie. Pour tout vous

---

116. Natalie Angier, *op. cit.*

117. La période réfractaire n'existe pas chez la femme. Elle correspond à un intervalle durant lequel l'homme ne peut être stimulé à nouveau sexuellement après l'orgasme. Cette période dure quelques secondes ou quelques minutes chez un adolescent alors qu'elle peut s'étendre à plusieurs heures, jours ou semaines chez l'homme âgé.

dire, moi, à choisir entre la grossesse multiple et l'orgasme multiple à 80 ans, je n'hésite pas une seule seconde : j'opte pour l'infarctus multiple et... orgasmique. Pur altruisme !

Enfin, je trouve cocasse de constater que plus on avance dans le temps, plus il devient parfois difficile de prendre des décisions. Il me semble que la tendance à la procrastination et à la tergiversation augmente avec le nombre de rides et de cheveux blancs et que cela devrait être l'inverse... Devant une alternative difficile, on devrait se poser la question : « Qu'est-ce que je ferais s'il me restait une année à vivre[118] ? » Après 50 ans, je suis d'avis qu'on devrait réduire cette période à six mois... Oui, oui... six mois. Quelle serait ma décision si je n'avais plus que six mois devant moi ? La réponse à cette question indique clairement la voie à suivre. La vie est trop courte pour être petite ! Moins il reste de pages à écrire de son histoire, plus on est autorisé à prendre des raccourcis vers le bonheur !

LA PROFONDEUR DE LA COMPLICITÉ

Le fait de parler plus tôt de la petite fille qui m'a permis d'être *grande-mère* m'amène à l'idée de complicité, ce fil de dentelle entre les êtres. La complicité se pointe lorsqu'une personne, en devenant disponible à une autre, donne à cette dernière l'envie de s'ouvrir à son tour. Elle s'installe quand les deux participent au même plaisir. La complicité se décline en trois moments : 1) la présence et la disponibilité ; 2) le contact et la relation ; 3) le plaisir autour d'un dénominateur ou d'un projet commun.

Même dans un contexte d'intimité amoureuse, la complicité érotique ne va pas de soi. Elle a besoin de temps pour s'établir. Les auberges et centre de villégiature ont bien compris sa valeur en offrant des « forfaits complicité » destinés aux couples

---

118. Méthode proposée par Mark Fisher dans *Le millionnaire,* je crois. Citation de mémoire imparfaite.

et aux familles. En vendant la complicité, on promet l'entente, la collusion et l'harmonie sans effort. Le client ciblé se laisse convaincre qu'il lui faut sortir du quotidien, de la maison, de la routine pour trouver ou retrouver la complicité rêvée... La complicité n'est pas une entente profonde spontanée et souvent inexprimée entre des personnes. Je la vois comme un talent, une manière « d'être avec » précieuse et dynamisante.

J'ai beaucoup travaillé auprès des jeunes. J'ai récemment pris conscience que j'évoque souvent la complicité établie entre eux et moi et je me suis demandé ce qui me permettait d'affirmer cette qualité de lien. La réponse est simple, c'est le temps, le partage et le plaisir : le temps que nous nous sommes consacré, le partage autour de confidences et de choses qui nous sont précieuses et qui nous touchent et, enfin, l'aspect ludique et confiant du lien. « C'est le temps que tu as perdu pour ta rose qui fait ta rose si importante », dit le renard au petit prince. Voilà du temps perdu qui est du temps gagné. Du temps gagné en confiance, en intimité, en bonheur. Le renard aurait pu ajouter que c'est le temps vécu et partagé avec ta rose qui fait de ta rose et toi des complices.

La complicité entre deux personnes, c'est une courroie de transmission qui leur est propre. C'est une manière de communiquer, de se comprendre, de se solidariser face aux tiers. Elle existe quand on a créé et tissé d'innombrables petits crochets de plaisir, de bien-être et de solidarité ensemble. Être complices ne signifie pas être le confident ou l'ami indéfectible. On peut avoir plusieurs complicités, mais chacune est unique. Un père n'est pas complice avec son fils parce qu'il fume un joint avec lui, ni une mère avec sa fille parce qu'elles portent les mêmes vêtements. Utiliser le langage adolescent ou dormir avec son enfant ne crée pas la complicité.

L'entente complice se développe par l'établissement de petits rituels, par la capacité de jouer et d'être complètement dans le jeu avec l'autre. Pas de sens de la fête, pas de complicité. Pas de sens de la fête, pas de couple. Les couples dont les partenaires se sont éloignés l'un de l'autre se rapprochent souvent lors d'une période de vacances. Sans doute parce qu'ils sont plus détendus, mais probablement plus encore parce qu'en vacances on joue.

Il existe des complicités plus naturelles. L'amitié est souvent complice parce qu'elle repose sur des rapports d'égal à égal où l'on ne se juge pas, où l'on ne se préjuge pas. Aussi, parce que l'amitié est une liaison affectueuse librement choisie et inscrite dans le jeu, ce qui n'est pas le cas de la relation familiale. La relation grand-parent – petits-enfants favorise aussi la complicité pour la simple raison qu'elle s'articule et s'organise autour du principe de plaisir. La complicité fuit les rapports d'autorité, déserte aisément les relations basées sur les normes et sur les tâches à accomplir. Voilà pourquoi elle est à peu près absente des schémas où une personne se trouve en situation de pouvoir sur une autre.

Parfois, ma petite-fille me téléphone et chuchote : « Mamouschka, il faudrait que tu parles à ta fille… Elle est bien fatiguée. Puis, quand elle est bien fatiguée, elle est bien fatigante… »

Un couple d'amis me raconte que leur petite-fille, âgée de cinq ans, leur avait demandé un soir qu'elle dormait chez eux et qu'ils se relaxaient au salon :

– Ça vous dérange, si je caresse ma vulve ?
– Oui, ça nous dérange. Si tu veux le faire, tu peux aller dans ton lit, dans ta chambre.
Et la fillette de rétorquer : « *Bon je vais laisser faire d'abord !* »

Comme quoi il n'y avait pas urgence et comme quoi aussi la complicité peut être déstabilisante. Elle a ses limites. Une relation qui en est empreinte est toujours plus sereine, même dans les moments de bourrasque. C'est une herbe fine, très goûteuse, dont il faut saupoudrer abondamment le rapport de couple. Quand les protagonistes commencent à perdre de vue la raison première qui les a réunis, à savoir le partage du plaisir, la complicité en profite pour s'éclipser. Les premières fois, elle file en douce un court moment; elle fugue, puis revient. Mais un beau jour, si on ne lui fait pas de place, elle disparaît pour de bon. Les couples dont la relation se transforme au fil des ans en «tâches et devoirs à accomplir» ont perdu la trace de leur complicité. Pour le maintien du lien érotique et amoureux, elle est vitale.

La complicité se tricote en tandem, une maille après l'autre. Elle se construit de rires, de sourires, de tristesses. D'entente et de solidarité. D'interdépendance et de réciprocité. Bien établie, elle devient une fabrique de ciment multicolore scellant les blocs d'une fondation qui maintiendra l'architecture du couple en cas de tempête. Un liant de toutes les teintes et nuances qui fait dire plus tard: «Te souviens-tu de cet épisode où nous nous sommes fait si mal?» ou «Te rappelles-tu cet événement où tu as su si bien...?» Même si elle excelle dans les épisodes de tristesse à exercer son talent consolidateur et à déployer sa puissance de cohésion, la complicité demeure toujours un tremplin pour s'amuser, dédramatiser, stimuler, étonner, déstabiliser...

La complicité entre nous, je la sens quand on se comprend d'un coup d'œil. Ou lorsque, en groupe, circule entre nous deux quelque chose que nous sommes les seuls à percevoir. Ma «blonde» est si talentueuse dans l'art de fabriquer de la complicité qu'elle transforme sa jalousie en complicité érotique. Par exemple, à la plage, elle me reprochait toujours de regarder les femmes aux gros seins. Moi, pour la faire rire et par souci de précision, je lui rétorquais que c'étaient les gros seins des femmes qui m'aveuglaient et non pas les femmes aux gros seins! Malgré mes traits d'humour, elle se fâchait et on finissait toujours par s'engueuler sérieusement.

Un jour, la coquine a radicalement changé d'amure. Elle s'est mise à me montrer les femmes aux gros nichons, ou plutôt, les gros nichons des femmes, avant même que je ne les aie aperçus. Elle commente lascivement leur allure, leur fermeté, leur beauté, leur forme, leur texture… À mots couverts, elle me laisse entendre que cette femme, ou plutôt que ces seins, lui plaisent à elle et l'excitent elle… qu'elle est assaillie de fantasmes homosexuels… Résultat : elle me piège, car je deviens si troublé par ses paroles et par sa sensualité à elle que j'en oublie complètement l'opulente poitrine de la baigneuse… Non seulement on ne s'engueule plus à cause de mon faible pour les nichons, mais ces moments nous rapprochent et soudent notre connivence. On finit toujours par rire et par avoir une folle envie de se retrouver au lit…

Pascal, 39 ans

La complicité s'expérimente à travers toute une gamme d'émotions et de sentiments superficiels ou profonds, de situations et d'expériences allant de la plus anecdotique à la plus tragique, de la plus douloureuse à la plus jouissive.

Moi, c'est dans l'intimité sexuelle que je me sens le plus complice de l'homme que j'aime. Je ressens notre complicité érotique, je la vois même, comme un réseau de passerelles nous reliant l'un à l'autre, nous permettant de nous envahir. L'un de ces ponts se tend lors du rapprochement amoureux intime. C'est plus que de la complicité, alors, c'est une réelle connivence… Je sais qu'elle est excellente et efficace, cette complicité, quand elle me donne envie de hâter la rencontre sexuelle suivante pour revivre cette proximité, pour recréer ensemble ce pont-tunnel de chair irremplaçable entre nous. Et si nous jouissons en nous regardant, les yeux dans les yeux, j'ai la certitude que nous partageons une complicité inaccessible aux baiseurs d'occasion.

Dominique, 37 ans

IMPUDIQUE INTIMITÉ

Les couples dont l'ardeur et l'harmonie n'ont pas périclité après une longue histoire commune sont une denrée rare.

Traverser harmonieusement le temps ensemble semble en effet constituer un défi réservé à quelques privilégiés. Laissez-moi vous raconter l'histoire de Martine qui, après 12 ans de frustration conjugale, consulte pour anorgasmie coïtale. Comme tant d'autres, elle n'a pas d'orgasme lors de la pénétration. En fait, on devrait plutôt parler d'anorgasmie relationnelle, car elle n'a pas plus d'orgasme lorsque son mari la caresse manuellement et elle refuse les caresses orales. Elle parvient à la jouissance en se stimulant elle-même, ce qui la fait se sentir coupable et inadéquate. La situation les fait souffrir, tous les deux.

> J'ai fait tous les sacrifices pour que notre couple tienne, gémit-elle. Je me suis oubliée, je me suis adaptée, j'ai tout mis en place pour que lui soit satisfait et heureux. J'ai déjà consulté pour soigner mes difficultés sexuelles et cela n'a rien donné. Je croyais être résignée, mais je ne le suis pas, je ne peux plus continuer ainsi…

De son côté, son conjoint n'y comprend rien.

> Je fais ce qu'il faut. Je fais tout pour qu'elle jouisse, je la caresse pendant des siècles, la frotte, la pénètre, la masse, la gâte : ça ne déclenche rien. J'ai tout essayé. Je ne sais pas si je peux faire mieux, mais en tout cas je ne peux pas faire plus…

Quelques bons points militent en leur faveur : Martine n'a jamais fait semblant et si la situation les affecte autant, c'est qu'ils tiennent l'un à l'autre. Mais la satisfaction érotique n'est pas simplement conditionnée par quelques frottements et mouvements d'allers-retours du pénis dans le vagin ! Dans la vraie vie, entre deux vraies personnes, les choses ne se déroulent pas comme au cinéma. Comme bien des femmes et malgré le sexe-porno qui s'insinue dans toutes les sphères de notre vie, Martine semble incapable de s'abandonner à l'intimité sexuelle qu'elle perçoit comme un lieu où elle doit être passive. Elle dit s'y sentir utilisée et en perte de contrôle. Elle conclut qu'après toutes ces années de vie commune son conjoint et elle ont, à certains égards, des connaissances superficielles et très limitées l'un de l'autre. Finalement, elle remarque, désabusée :

Nous avons vécu l'un à côté de l'autre, sans jamais vraiment nous intéresser l'un à l'autre. Sur les choses intimes de la sexualité, on ne s'est jamais dévoilé. On a essayé de correspondre à je ne sais quoi... Une vraie pitié ! Et pourtant, on s'aime. Je n'en doute pas un instant.

Voilà, de fait, du vrai temps perdu. En façade, ce couple est réussi. Il dure. Ils s'aiment, mais les notions de durée et d'amour ne constituent pas les seuls critères de réussite conjugale ou le sceau du succès. Avec de l'aide, ils vont trouver une solution à leur difficulté. L'anorgasmie coïtale est surmontable et surtout, leur relation transpire l'authenticité et la solidité malgré que l'intimité met leur engagement à l'épreuve.

De nombreux couples vivotent ou survivent malgré de profonds malaises et de sérieuses insatisfactions intimes. Le problème récurrent sur lequel se butent plusieurs : ils entretiennent, verbalement et non verbalement, consciemment ou mi-consciemment, *synergologiquement*[119] et sexuellement, un dialogue de sourds. Vivre ensemble, poser sa brosse à dents à proximité de la sienne ne signifie pas qu'on accède harmonieusement à l'intimité de l'autre.

---

119. De *synergologie*, discipline de compréhension du langage non verbal créée par Philippe Turchet, *La synergologie*, Montréal, Éd. de l'Homme, 2004.

Une difficulté érotique est souvent concomitante d'un trouble personnel plus abscons, d'une communication pathologique ou d'un vice caché dans la construction de la relation. Elle est toujours liée à la manière de vivre l'intimité. La stabilité conjugale établie sur l'aliénation de l'un et l'hégémonie de l'autre ou sur des idées reçues s'ébranlera tôt ou tard. Les partenaires doivent méditer aussi sur cette tendance bien répandue de vouloir rendre l'autre comme soi. C'est une attitude kamikaze pour le couple et le moyen assuré de perdre le désir, l'attraction puis l'amour. Une certaine différence étonne, fascine et émerveille. Elle met en présence la complémentarité et une formidable interdépendance que l'intimité peut réunir alors que la similitude ennuie, lasse et finit par désintéresser.

Il est difficile de tricher dans l'intimité. On y est vite démasqués. On y est mis à nu, sans fard, avec nos faiblesses et nos fragilités, que nos yeux bouffis du matin, nos bourrelets qu'on ne peut pas toujours réprimer. Il n'y a que dans l'intimité que l'on se livre intégralement, avec nos ombres et nos lumières.

On peut vivre la promiscuité sexuelle avec une personne sans jamais vraiment partager l'intimité avec elle. D'autres sont intimes, se regardent dans le même miroir matinal sans plus partager la promiscuité sexuelle. L'intimité n'est pas neutre. Elle est difficile à vivre et ne laisse personne indifférent. Elle regorge d'odeurs, d'effluves et de saveurs. L'intimité est l'antithèse de la neutralité. Vivre, partager son intimité, faire de la place à l'autre dans sa bulle engagent et bouleversent les repères. Tantôt, on apprivoise l'intimité, on se familiarise avec elle et on l'aime. Alors, elle nous enrichit. Tantôt, elle nous effarouche, on la subit et elle nous rebute. Alors, elle nous appauvrit. L'intimité est systémique et impudique. Toujours impudique. On ne peut l'habiter et la partager qu'avec une personne de prédilection profondément aimée et accueillie, avec ses grandeurs et ses misères.

LE POUVOIR DE LA LIBERTÉ

Des servitudes à balayer

L'air du temps dissémine des idées à la mode dont il faut prendre conscience et se détacher. Ces idées à la mode se dressent en dogmes autour de nous ; on les assimile, elles se transforment en idées reçues puis en lieux communs et s'installent en réels paradigmes. Elles foisonnent et nous piègent. Insidieuses et fourbes, elles s'avèrent aussi dommageables que les certitudes du passé relatives à une sexualité satanique menant aux enfers éternels. Elles donnent une fausse impression de liberté.

Parmi les aberrations à la mode, je reviens sur celles-ci : les hommes viennent de Mars, les femmes viennent de Vénus ; on ne peut pas se rejoindre vraiment, on ne se comprendra jamais ; la femelle humaine retient son mâle pour être protégée, elle et sa progéniture ; le mâle humain rêve d'asperger de sa semence tous les virginaux vagins. Les concepts d'activité et de passivité, de domination et de soumission, rigides, présentés comme étant immuables dans la relation et dans le rapport sexué et sexuel, me hérissent ! Je ne les ai jamais ressentis, éprouvés, expérimentés ou plutôt si, je les ai tous pleinement éprouvés, à tour de rôle. Nous sommes des millions de femmes à nous sentir ainsi. Je ne les ai pas toutes rencontrées, seulement quelques milliers d'entre elles, sur tous les continents, qui pourraient dire :

> Je saisis et je prends mon amant autant qu'il me prend. Je décide de m'ouvrir ou de me fermer. L'introniser, le guider, l'ancrer en moi me fait me sentir tout aussi active que le fait qu'il me prenne avec la plus sauvage douceur, pressé de s'épancher en moi…

Admettons que la femme soit moins saturée et imprégnée d'hormones que son compagnon. Supposons encore qu'elle soit davantage sollicitée, voire influencée, par un réseau d'éléments plus globaux, plus diffus, plus subjectifs faisant appel à ses centres corticaux supérieurs. Ces particularités font des hommes et des femmes des êtres qui s'étonnent, se complètent, s'attirent, s'émerveillent... Exercer sa pleine liberté, à ce chapitre, c'est circuler dans tous ces univers en accueillant et en explorant sa propre *mâlitude* comme sa propre *femellité*. Pour l'essentiel des activités que j'exerce dans ma vie, je me perçois comme un être humain. Pour une bonne partie d'entre elles, je me sens femme. Dans l'intimité érotique, je suis et je me sens femme, femelle et *femâle*.

S'affranchir de la souffrance rédemptrice

Il y a quelque 30 ans, le poète québécois Claude Péloquin dit Pélo gueulait dans le béton d'une murale de Jordi Bonet[120] : « Vous êtes pas écœurés de mourir bande de caves. C'est assez ! » Bien oui, Pélo, on est tannés de mourir, mais on est toujours impuissants à abattre les limites et la finitude de notre humanité. Cela dit, j'ai bien souvent envie de fulminer à ta suite : « Vous êtes pas écœurés de souffrir bande de caves ? Vous en avez pas ras le pompon de la souffrance salvatrice et des bobos rédempteurs ? »

C'est à travers une vallée de larmes et de souffrances que trône et pontifie le panorama pornographique. Étrange simultanéité d'un double culte du jouir et du souffrir à tout prix. Nos ancêtres devaient souffrir pour gagner leur ciel, il nous faut en pâtir pour parvenir à la révélation, à la béatitude, pour gagner le droit d'être heureux, de goûter à la vie sans culpabilité, d'être admis dans le cercle restreint des initiés. Où est le changement ?

Il suffit de jeter un coup d'œil à la nuée de publications qui traitent de la souffrance, des maux et afflictions pour constater que la douleur n'a jamais été aussi rentable et profitable... à

---

120. Jordi Bonet est un immense artiste (peintre, dessinateur, céramiste, muraliste et sculpteur) québécois d'origine espagnole. L'invective de Pélo est inscrite dans la Murale du Grand Théâtre de Québec.

quelques messies. Ne trouvez-vous pas comme moi qu'être heureux est finalement assez confortable ? Qu'il n'est pas obligatoire de surmonter quelques incurables maladies pour « comprendre » ? Qu'on n'a pas absolument besoin d'escalader l'Himalaya pour « se contacter » ? Et qu'il peut être coûteux, à bien des égards, de s'en remettre à des *pseudo-thérapeutes* de l'âme pour « grandir » et à des médecins du ciel pour « guérir » ? Tout ce réseau d'exploitation de l'humanité naïve et souffrante me fait faire des montées de lait ! Et puis, il n'y a pas de honte à préférer le bonheur[121] !

On nous incite et on nous programme à être constamment en alerte, à l'affût de nos moindres bobos et frustrations. Comment se fait-il qu'on s'insurge si peu contre cette vaste entreprise d'exploitation de la crédulité ? Qu'on ne parte pas en croisade contre ce nombrilisme névrotique érigé en système ? Comprenons-nous bien, je ne condamne pas toutes les activités de croissance ou de développement personnels : seulement 99 % d'entre elles, désespérantes de superstition et de bêtise.

Je m'inquiète des ferveurs fanatiques, de l'oriflamme de la dévotion corporelle, du pouvoir grandissant des gourous de l'âme. Je me méfie de l'arrivée massive de « nouvelles » thérapies, toutes plus fumeuses, narcissiques et « miraculeuses » les unes que les autres, qui usent du corps comme matière première en l'exaltant et en le spoliant et dont le dénominateur commun (et secret) me semble être la vénération du fric. Et puis, il est faux de prétendre que le salut et le bien-être transitent toujours par un travail sur le corps et sur le *moi*. Et malhonnête de le faire croire. Se libérer de ses cuirasses, inhibitions et carcans corporels ne délivre pas de toutes ses angoisses et frustrations. Le désarroi humain, cela est connu et plus vrai aujourd'hui qu'hier, découle largement du rapport aux autres (membres de sa famille, personnes aimées, collègues de travail…).

---

121. Albert Camus, je ne sais plus où ni quand…

Travailler sur soi, déligoter son corps, gratter jusqu'au sang ses blessures réglerait tout si nous étions, comme l'allumeur de réverbère du *Petit Prince*, seul sur notre petite planète. Pour les nouveaux amphitryons, virtuoses de l'arnaque, vite formés par d'obscurs *initiés*, toutes les contraintes sociales qui entrent en conflit avec les besoins de l'organisme suprême du MOI sont préjudiciables au MOI. Toujours cette éthique égocentrique qui fait du corps le bien le plus précieux et le plus despotique[122]. Quelle qualité de bonheur y a-t-il à avoir un corps techniquement au poil, bien huilé et *vitriné*, à avoir un sexe qui se fait bien jouir et sait faire jouir si nous demeurons inaptes à créer des rapports significatifs et consistants avec autrui ?

Jamais nous n'avons été autant entourés de guides, d'experts, de *coachs*, de guérisseurs et de mentors. Jamais l'humanité n'a autant souffert de carence affective et relationnelle. Ce n'est plus la méconnaissance de soi, de son corps et de son sexe qui pose problème, c'est la débauche de connaissances, souvent stériles et insipides, dans un monde de disette affective. L'utilité d'une thérapie est de rétablir, à l'issue du processus, l'aptitude à aller à la rencontre d'autrui et à partager sa capacité de bonheur. De nombreuses démarches thérapeutiques de pacotille conduisent à la dépendance thérapeutique ou maintiennent dans un enfer solitaire. Cela, quand elles ne mènent pas à dévorer l'autre de notre grande bouche de Narcisse !

S'affranchir du jeunisme

Autre imposture dont il faut s'émanciper : cette promesse d'un corps toujours beau, jeune, performant et efficace. Notre contexte hypersexualisé en amène plus d'un à paniquer : « Comment puis-je rivaliser avec ces suaves nymphettes à la jupette à ras le clito ? Comment puis-je concurrencer ces étalons aux érections hip-

---

122. Depuis que Michel Dorais a dénoncé cette situation dans *Les lendemains de la révolution sexuelle,* elle n'a fait qu'empirer.

popotamesques, véritables engins dispensateurs d'orgasmes ? »
Si l'on reste crucifié à ce modèle, on est cuit. On s'éreinte dans
une course sans fin : coûteuse, souffrante, grotesque et, finalement, irréaliste et irréalisable. L'autre possibilité est d'abdiquer,
de se laisser convaincre que la sexualité partagée est réservée à
une élite fraîche, juvénile et musclée. Il y a une troisième voie :
rejeter ce modèle merdique et nous rendre disponibles à la rencontre avec notre corps imparfait, nos seins d'origine, notre crâne
dégarni, nos empreintes épidermiques, nos tatouages naturels,
nos orgasmes incertains, nos émouvantes défaillances et… notre
contagieuse envie de vivre. Le fétichisme du poupon et de la *poupoune*[123], ça suffit !

L'érotisme et la sensualité nous concernent tous et toutes. Si
tous les hommes et toutes les femmes qui ne collent pas aux
clichés culturels de beauté (bref, 95 % de la population, soit les
plus de 20 ans non remodelés par la chirurgie) se levaient et
affirmaient leur droit au plaisir et à la volupté plutôt que d'imiter grossièrement le stéréotype, on finirait par créer de nouveaux
modèles de sexualité et de beauté. Quelle palette de couleurs érotiques on découvrirait enfin !

Faut-il créer un protocole des droits et libertés sexuels pour
que nous nous autorisions à briser le moule abrutissant qui nous
est infligé ?

69 points de droit sexuel
En matières érotique, amoureuse, sensuelle et sexuelle, j'accorde
aux autres et je m'accorde la liberté et le droit :

1) d'aimer ;
2) d'être aimé ;
3) de chavirer ;

---

123. Poupoune ou pitoune : jeune fille ou femme déguisée en ado, un peu
superficielle et caricaturale, qui se maquille beaucoup et s'habille peu, selon
les critères à la mode.

4) de vaciller ;

5) de m'émouvoir ;

6) de m'abandonner ;

7) de m'illusionner ;

8) d'oser ;

9) de changer ;

10) de refuser ;

11) d'accepter ;

12) de vieillir ;

13) de faire l'amour ;

14) de faire la tendresse ;

15) de jouir ;

16) d'être pudique ;

17) d'être impudique ;

18) de préférer l'auto-érotisme à une collision génitale à deux ;

19) de me masturber ;

20) de ne pas me masturber ;

21) de trouver délicieuse la maladresse de mon amante quand elle me fait une pipe ;

22) de trouver touchante la gaucherie de mon amant quand il me fait minette ;

23) de m'émouvoir de l'émotion de mon amant qui lui fait perdre son érection ;

24) de baiser dans la même position parce que c'est bon ;

25) de baiser toujours dans le lit parce que c'est confortable ;

26) de baiser comme des bêtes d'abord et de *préliminer* après la secousse ;

27) de jouir sans orgasme ;

28) d'*orgasmer* sans satisfaction ;

29) de perdre pied sans prendre mon pied ;

30) de prendre mon pied sans perdre pied ;

31) de jouir en silence ;

32) de débander ;

33) d'arroser à l'improviste ;

34) d'avoir un corps au naturel, ridé, flétri mais qui vibre et qui jouit ;

35) d'être homosexuel ;

36) de le dévoiler ou de ne pas le dévoiler ;

37) d'être hétérosexuel ;

38) de le dévoiler ou de ne pas le dévoiler ;

39) de baiser comme un homme des cavernes ;

40) d'aimer me faire baiser par un homme des cavernes ;

41) de baiser comme une femme des cavernes ;

42) d'aimer me faire baiser par une femme des cavernes ;

43) de baiser trois fois par jour à 70 ans ;

44) de baiser une fois par mois à 25 ans ;

45) de parapher le contrat d'orgasme ou de ne pas le parapher ;

46) d'être incapable de faire une pipe quand je n'aime pas le « pipé » ;

47) d'en être capable ;

48) d'être obsédé de vie plutôt qu'obsédé sexuel ;

49) d'avoir des seins non siliconés, flasques mais si vivants ;

50) d'avoir des lèvres et une bouche non pulpeuses mais qui adorent lécher, sucer, manger ;

51) d'avoir des vergetures et d'être une bête sexuelle ;

52) de me sentir mâle, femelle, *femâle* ;

53) de prendre mon temps et d'étirer le désir ;

54) d'aimer les petites vites ;

55) d'être hors normes et de m'en glorifier ;

56) de jouir de ne pas jouir ;

57) de brûler des étapes quand le temps me manque ;

58) d'aimer un peu, beaucoup, passionnément ou pas du tout le sexe ;

59) de ne pas tout aimer ;

60) de ne pas tout accepter ;

61) de ne pas tout essayer ;

62) d'accepter de ne pas avoir les mêmes besoins et désirs sexuels que mon partenaire ;
63) d'accepter que mon partenaire n'ait pas les mêmes besoins et désirs sexuels que moi ;
64) de ne pas avoir trouvé mon point G et de m'en contreficher ;
65) de ne pas tout dire de ma sexualité parce que j'aime le mystère ;
66) de ne pas toujours bander et d'être toujours un homme ;
67) de ne pas mettre la santé des autres en danger ;
68) d'être en parfait désaccord avec tout ce que je viens de lire ;
69) de ne pas aimer le 69...

LA JUSTE DISTANCE

Boris Cyrulnik[124] raconte qu'amour et attachement sont d'une certaine manière antinomiques, l'amour étant par définition *un* état de naître et *en* état de naître alors que l'attachement incarne, *a contrario*, ce qui est né et s'est transformé. L'amour serait un processus, une trajectoire qui, en se consommant, s'achève et débouche sur l'attachement. Cette prémisse suppose que l'on doit passer à autre chose, à un autre état d'émotion et de relation, et qu'il est illusoire d'espérer que puisse *re-naître* l'état amoureux passionnel.

À la condition de se représenter l'amour comme un état transitionnel permanent, je crois pour ma part en cette faculté de renouvellement. Pourquoi la belle étrangère est-elle si stimulante même si elle est, objectivement, bien moins séduisante que l'épouse ? Pourquoi le mystérieux inconnu est-il si attirant même s'il est en réalité bien moins attrayant que le conjoint ? Parce qu'ils ont de la distance : la bonne distance. La distance qui permet de les voir en pied et en mouvement avec toute l'attitude intérieure qui les anime, avec les ondes spatio-temporelles qui nous

124. Boris Cyrulnik, *op. cit.*

séparent d'eux, avec entre l'autre et soi un trajet, une promenade dynamique à apprécier pour s'atteindre. C'est parce que l'autre a de la distance qu'on le voit. Mieux encore, c'est parce que l'autre a de la distance que l'on se voit et se perçoit soi-même, que l'on sent les contours de son propre corps, de ses émotions, de ses élans. Il faut de la distance pour éprouver l'impulsion et la pulsion de l'élan.

Un couple qui perd la juste distance, ce qui se produit presque automatiquement avec la vie commune et la routine quotidienne, jugule le mouvement de l'amour. Les conjoints agglutinés l'un sur l'autre, dans un nez à nez perpétuel, se perdent de vue, finissent par ne plus distinguer leurs contours… Pour ressentir l'appel du rapprochement, l'éloignement effectif (et non affectif) et intermittent est nécessaire. L'unique façon d'être en état de désir à perpète, c'est de cultiver le mouvement d'aller-retour, de garder sans relâche la juste distance.

Distance et amours tardives

À 55 ans, je viens de me marier. Me marier ! Une idée qui me paraissait farfelue lorsque j'ai rencontré mon « futur mari » il y a quelques années… Pourquoi le mariage à mon âge ? Pour témoigner : de notre engagement et de notre credo en notre amour. Je ne crois pas avoir été amoureuse et désirante avec une telle constance avant. Je ne me suis jamais sentie aimée et désirée aussi authentiquement et simplement. Lui et moi, nous vivons sur deux continents. Cette variable a joué en faveur du mariage : besoin de rendre réelle et officielle, à la face du monde, une union si marginale dans sa forme. Je sens que tant qu'il y aura de la distance à franchir pour se trouver, se retrouver, fusionner, la flamme amoureuse ne vacillera pas…

Isabelle

Il n'est évidemment pas obligatoire de déménager au diable vauvert pour créer la distance. Pas plus que de s'inscrire à une agence de rencontres ayant pignon sur Mars! L'essentiel est de la prendre en compte, d'en faire un objet de considération et d'analyse dans un projet de couple et de vie à deux. C'est une erreur de vouloir abolir toute distance entre les amoureux. Plus on est proche, plus on a avantage à créer cette distance qui, paradoxalement, nous propulse l'un vers l'autre. En fait, il s'agit de trouver la bonne distance, celle qui nous convient et surtout qui nous inspire. Distance n'est pas synonyme d'éloignement. Elle est une prise de recul, essentielle à une nette perception, favorable au désir...

Isabelle, notre jeune épousée, vit un bel amour tardif. J'ai souvent remarqué que lorsque l'amour s'est fait attendre, le lien et l'attachement détroussent moins prestement le désir et l'amour-passion. Chez les couples tardifs, ceux qui se forment après un ou deux «ménages» initiaux, les partenaires arrivent «plus aboutis» l'un à l'autre. Ils deviennent moins rapidement familiers. Échaudés ou simplement expérimentés, ils résistent et contrecarrent, sans en être toujours conscients, la domestication de l'amour. Ces couples paraissent plus habiles à arroser simultanément et équitablement les jardins privé et relationnel. Séduction, amitié, penchant pour la récréation persistent vigoureusement malgré que chacun sache mieux conserver une relative distance. Plus autonomes, plus achevés et surtout plus conscients, ils sont heureux de retrouver l'autre pour mettre en commun la joie individuelle, pour démultiplier le bonheur. Je crois que les amours tardives sont souvent plus lucides et moins symbiotiques.

L'amour et le désir sont-ils proportionnels?

C'est un lieu commun de croire qu'une fois l'attachement installé le désir s'estompe. Enlevons-nous cela de l'esprit: les choses que l'on croit réelles ont des conséquences réelles! L'effet placebo, bien documenté et prouvé, en témoigne.

Des couples récriminent parfois : on s'aime, on est heureux, mais on n'a plus très envie de sexe. Et puis après ? Vous êtes heureux tous les deux, vous vous aimez, si vous ne souffrez ni l'un ni l'autre de ce désir apaisé, où est le problème ? Le sexe n'est pas une matière obligatoire sur laquelle il faut potasser et piocher sans relâche comme tente de nous en persuader la petite école porno. Dans des périodes d'accalmie, dites-vous que vous laissez au sexe le temps d'avoir envie de vous ! Qui nous force ou nous presse à avoir envie de lui ? On ne baise pas nécessairement plus à force de s'aimer. Heureusement d'ailleurs, car s'il en était ainsi, l'amitié profonde et chaste n'existerait pas. Par contre, je veux bien croire qu'on baisera mieux à force d'amour. Quant à savoir si on s'aime de plus en plus à force de baiser, comme le prétend un proverbe polynésien, cela m'étonnerait !

Soyons créatifs. Sortons l'amour du désarroi et le désir de son corset. Inventons de nouvelles distances et de nouvelles manières d'être ensemble qui alimentent le goût de l'autre.

LE GOÛT DE L'AUTRE

Nous avons de l'amour à revendre. Le cerveau humain aspire sans cesse à l'amour. Nous passons bien du temps à haïr et toute notre vie à aimer : nos parents, nos maîtresses d'école, le bon Dieu, nos amis, nos enfants, notre équipe sportive, nos idoles, la patrie, le drapeau, le cinéma, les livres, la bouffe, les voyages, la peinture, la musique, la nature, les fleurs, le sexe… Parfois, on a le bonheur d'aimer et d'être aimé tout court.

Notre société prétend aimer et promouvoir le couple tout en mettant tout en œuvre pour le saboter. Publicités, promotions, invitations, incitations, pressions, oppressions, encouragements à satisfaire illico besoins et désirs ponctuels et égocentriques.

JE veux, donc JE peux. JE désire, donc J'existe. J'ai envie, donc JE prends. JE veux là, maintenant, tout de suite, ce que JE crois désirer, ce dont on ME convainc que J'ai besoin. JE m'approprie, c'est MON pouvoir. JE profite momentanément et puis JE jette, parce que J'ai aperçu autre chose qui ME fait davantage envie...

Nous sommes atteints d'un virus occidental, endémique et pandémique, dont le principal symptôme est une inflammation du moi. Nous nous enfonçons dans cet œdème planétaire individualiste. On ne quitte plus son conjoint pour quelqu'un d'autre : «Je te quitte pour moi. Je me choisis.» Pourtant, si l'enfer c'est quelquefois les autres, l'autre, c'est souvent le ciel. La tendance, le *main stream*, dit-on en américain, se perpétue : S'affirmer, SE respecter, SE développer, SE faire plaisir, S'aimer, SE choisir...

À l'automne 2004, l'équipe d'une émission radiophonique[125] organisait un concours pour nommer notre époque. Plus de 2000 auditeurs ont tenté de synthétiser en un minimum de mots leur perception de l'ère dans laquelle nous vivons. À travers une multitude de slogans brossant un portrait assez sombre de notre temps, le jury a retenu *ego.com*. «Cet *ego*, écrit Pierre Curzi, révèle un constat général de repli sur soi, de solitude, de nombrilisme même, accentué par le *.com* qui nous donne l'image d'individus solitaires et captifs de leur écran de télévision ou d'ordinateur.»

Il est indéniable que les valeurs d'autonomie et de liberté nous ont fait grand bien. Nous payons le prix de ce culte de l'ego par de l'isolement et par un manque de sens à vivre. Au risque de me répéter : jamais nous ne nous sommes tant séparés, n'avons tant déménagé, voyagé, changé d'emplois ; jamais nous n'avons été aussi libres de trouver notre voie ; jamais nous ne nous sommes tant retrouvés seuls, dépressifs et insignifiants.

---

125. *Indicatif présent* à la radio de Radio-Canada. Ces informations sont tirées du billet de Pierre Curzi dans le bulletin de l'Union des artistes, novembre 2004, vol. V, n° 3.

Adopter le couple, choisir d'en faire partie, suppose qu'on accepte d'emblée de perdre ce que l'on ne peut pas choisir en même temps que lui. C'est aussi gagner en partage. Philippe Turchet[126] baptise presque sacramentellement « couple rare » la paire d'êtres humains réunis autour d'*Éros*, *Philia* et *Agapè* : fusion passionnelle dans l'*Éros*, amitié et respect avec *Philia* et ouverture sur le monde et sur les autres avec *Agapè*. Mais ne s'agit-il pas là de critères ou de dispositions immanentes à tout couple qui en mérite l'appellation ? Est-il donc devenu si exceptionnel, le couple qui réunit ces trois aspects relationnels pour mériter le sceau de la « rareté » ? Je suis d'accord avec l'idée que ces concepts-ingrédients soient essentiels à la vitalité amoureuse, mais j'estime que la monarchie individualiste a détourné la personne de son impulsion à composer un « couple rare ».

L'amour incline l'amoureux vers l'autre et vers le couple, gomme un peu de la liberté individuelle, entraîne une légère déclinaison du Je au bénéfice du Nous… Au milieu d'autres acquis, fragiles et fondamentaux, telles l'acceptation de l'homosexualité et l'émancipation des femmes, le Moi-Roi se dresse comme LA conquête à protéger et à bichonner. La liberté sexuelle a été assimilée à un égocentrisme étouffant. La sexualité prescrite est déshumanisée et déshumanisante, comme si le sexe était un service ou un produit, obligatoire et accessible dès que le consommateur le réclame.

J'ai une amie qui est seule, se sent seule, et qui ne cesse de s'en plaindre et de gémir sur son sort. Elle court toutes les conférences et sessions de croissance personnelle de tous acabits. Vous savez, ces soirées-causeries dispensées par des hommes, mais qui n'attirent que des femmes (à qui ils révèlent superbement la vérité). Cette amie s'adonne aussi au tarot et à la méditation transcendantale, chante dans une chorale, se forme au baladi et travaille 60 heures par semaine… Tout pour se rendre disponible à la rencontre, quoi !

---

126. Philippe Turchet, *op. cit.*

Lorsque je le lui dis en ajoutant qu'avec ce rythme d'enfer elle est mieux de se contenter de son *supermario*[127], elle rétorque :

Quelle rencontre ? De quoi parles-tu ? Que, quoi, qui puis-je espérer rencontrer sur le marché du sexe ? Pour rivaliser avec les pitounes étalées ici et là, il faudrait que je me fasse refaire de la tête aux orteils ! Alors, je m'occupe de MOI.

Pas une semaine ne s'écoule sans que je ne rencontre des personnes, des femmes surtout mais aussi des hommes, qui me confient « s'être retirés » de la parade. Ils ont le sentiment que c'est le cul qui prime, qu'ils ne peuvent en découdre avec le modèle *féminomaniaque* ou *viriloïde* répandu tout autour. Il ne faut donc pas trop se surprendre que des femmes en viennent à préférer leur solitude et leur *supermario*. Celui-ci les prend comme elles sont et se laisse prendre au caprice du moment ; il ne leur fait jamais faux bond, ne demande rien, ne chiale jamais, n'a nulle attente, est toujours au garde-à-vous et est infatigable… Mais rien n'est parfait : il est aussi inodore, sans saveur et sans chaleur ! Il ne faut pas non plus s'étonner que des hommes se complaisent dans la branlette, en salivant sur une *pornographiée* intersidérale entièrement à leur service. Plutôt que de risquer la rencontre et la relation, jugées complexes et menaçantes, on s'avachit dans le non-menaçant, le facile, le virtuel. On renonce au bouillonnement relationnel, à la personne réelle en trois dimensions dotée de sensibilité et d'intelligence, à une sexualité intuitive et spontanée où l'on ne détient pas tous les pouvoirs… En fait, on a peur de la vie, alors on renonce à la vie. On s'isole. On s'abrutit.

Michel Dorais[128] écrivait que lorsque Narcisse rentre chez lui, après une soirée en boîte à tenter de mystifier sa solitude, il

---

127. Ainsi a-t-elle baptisé son vibrateur de service. Je suis désolée pour tous les Mario de la terre ; mes excuses particulières à mon ami Mario.
128. Michel Dorais, *op. cit.*

se console : il a constaté qu'il n'est pas seul à être seul. Vingt ans plus tard, Narcisse fait certes le même constat, mais il me semble qu'il se console de moins en moins…

La révolution sexuelle aura été une révolution narcissique qui a accouché d'une lignée de Narcisses. Et quand un Narcisse rencontre un autre Narcisse, eh bien ça fait deux Narcisses qui se *narcissisent* côte à côte : chacun prend la pose dans son calice, étale ses pétales, mesure son renflement de pollen, lorgne l'étamine ou le pistil de l'autre. Le Narcisse du IIIe millénaire a beau ne pas être en liesse dans sa fontaine de solitude, seule celle-ci lui convient. Voilà tout le contresens d'une solitude perçue comme un moindre mal. Je ne crois pas que la solitude soit en voie de devenir le grand problème du XXIe siècle. Je pense que cela s'est avéré.

LA SAVEUR DE LA GÉNÉROSITÉ

L'amour exige la générosité dont le désir peut se passer. L'amour revendique la réciprocité et la symétrie. Michel Foucault[129] dit que la personne aimante est forcée de se définir et de s'interroger elle-même comme sujet de désir. Même si aimer est au départ un penchant libre et naturel, il faut bientôt choisir quelque chose ou quelqu'un à aimer. Ensuite, inévitablement, il faudra céder du terrain, une partie de soi. Homme ou femme, on n'aime pas juste pour être gratifié et protégé ou pour ne pas être seul. On aime aussi pour protéger, pour donner, pour entourer. On aime par pur égoïsme et par pur altruisme, par esprit de générosité et par esprit de sacrifice. L'engagement à aimer en incommode plus d'un. Le canevas individualiste de nos sociétés nous rend rébarbatifs à donner, à « se donner », à s'oublier, à s'abandonner. On n'a plus idée de la satisfaction et du bonheur que donner procure.

---

129. Michel Foucault, *Histoire de la sexualité II. L'usage des plaisirs*, Paris, Gallimard, 1984.

Bien des amoureux associent générosité et fidélité. D'autres estiment que la vraie générosité n'engage pas l'exclusivité sexuelle. Si on n'a pas de scrupules à quitter l'autre pour d'autres bras, un soir de pleine lune ou de fièvre du printemps, on invoquera l'écart de langage corporel, l'égarement sensuel, la fringale érotique ou les errements hasardeux de la volupté... Puis, de fredaines en incartades, on finira par le quitter tout court ou ce sera l'autre qui en aura assez. En écoutant des gens me raconter la fin d'une union, j'ai souvent noté qu'on ne part pas toujours parce qu'on n'aime plus le conjoint. Il est assez fréquent que les conjoints se quittent parce qu'ils ne se sentent pas suffisamment gratifiés dans le rapport à l'autre, parce que ce dernier manque de générosité.

La générosité contribue à définir le sens, la forme et la voie de l'engagement et de la fidélité. Celle-ci sera-t-elle un simple privilège sexuel ? La non-tromperie ? La transparence absolue ? Le refus du multi-partenariat simultané ou la tendance au multi-partenariat sériel ? La promesse de prévenir celui ou celle dont on s'éloigne quand on a trouvé « mieux » ? Le serment de dévoiler ses fantasmes érotiques ? La fidélité qui traverse le temps, la foi dans la parole donnée hier, la *fiance*[130] sont presque devenues obscènes. Comment tenir parole dans un univers de séduction ? La générosité, la réserve, le traitement privilégié, la loyauté envers le couple et la liberté se traduisent aussi dans la maîtrise de soi.

Le couple solide et solidaire est celui qui réussit un généreux mariage à trois : toi, moi et... nous.

---

130. *Fiance* : archaïsme en usage au Moyen Âge signifiant « foi ». C'est l'espérance ferme de celui qui croit. Ses dérivés : fiancés, fiançailles, confiance.

LE SENS DE LA FÊTE

« Cesse donc de ruminer ta peine, disait ma mère, et rumine donc plutôt ta chance et ton bonheur ! » Ruminer, c'est ressasser, étirer et prolonger... se vautrer. Se vautrer dans la joie.

Si nous passons nos nuits à pleurer le soleil, comment pourrons-nous voir les étoiles ? Sucrons-nous les cellules de joie et sucrons-nous le cœur et le sexe, à bon escient. Contestons la bêtise, réfutons la conformité, désertons la tranchée des bons petits troupiers. Étonnons-nous nous-mêmes de nos envies, de nos fantaisies, de notre créativité folichonne. Surtout, cessons de donner à l'autre ce qu'on nous dit qu'il attend, comme le fait la porno en nous servant sans fin la même ritournelle régentée et prévisible. Donner à quelqu'un ce qu'il attend, quelle billevesée ! C'est lui donner ce qu'il a déjà. Surprenons-le ! La spontanéité, l'imprévu et l'imprévisible, la surprise sont les combustibles du sens de la fête. À vouloir devenir adroit, efficace et instrumenté, on perd sa spontanéité et sa capacité d'imagination. Les hommes et les femmes qui ont perdu leur créativité et leur candeur auront beau lire tous les manuels de savoir-faire sexuel et regarder toutes les vidéos pornos, ils ne peuvent être que de lamentables amants !

Aimer, baiser, faire l'amour, c'est jouer, s'amuser, se laisser impressionner et envahir par la grâce et l'égarement. On sait qu'un couple a égaré le sens de la fête quand il ne sait plus s'égarer ensemble, quand il ne pleure plus de rire, ne joue plus, ne fait plus de folies. Lorsqu'on ne sait plus s'amuser, on ne sait plus s'érotiser.

Malgré le boulot que j'exerce, j'ai rarement donné de conseils. Je déroge. Vous croyez avoir perdu le sens de la fête érotique et vous souhaitez le retrouver ? Amenez les maîtres queux de la cuisine sexuelle dans le pâturage et oubliez-les. Mieux encore, prenez avec eux les gourous, les guides, les voyants et voyeurs, les livres de recettes du bonheur, les *faiseux* de thérapies miracles et faites-en un grand feu de joie. Notre vie est notre seul bien, cessons de la vivre par procuration, et de la regarder s'envoler en fumisterie.

La joie qui s'éclate dans le respect de soi et d'autrui, dans la dignité et la réciprocité, mérite d'être ruminée. Moquons-nous des plaisirs et bonheurs normés, réglés et validés.

Le sens de la valeur des valeurs

Manger est une chose, faire bombance en est une autre. Partager un repas ou un festin est autre chose, communier autour d'une table est autre chose encore. C'est le sens que revêt pour soi un geste ou un acte qui importe. Manger pour manger et pour survivre, baiser pour baiser, parce que ça fait un bail qu'on ne l'a pas fait, rien n'est plus ennuyant que le non-sens, plus sinistre que l'absence de signification.

À ma connaissance, de solides valeurs, morales, humanistes ou religieuses, ont de tout temps soutenu et influencé les conduites sexuelles. La première moitié du siècle s'est déroulée sous la coupole des préceptes religieux judéo-chrétiens. Avec la révolution sexuelle et féministe, ces principes ont fait place à des valeurs humanistes d'affirmation, de libération, d'épanouissement, ainsi qu'à des visées hédonistes de célébration et d'universalité. Une éthique sous-tendait cette fièvre d'affranchissement: l'amour, le respect, le libre consentement, la dignité, l'engagement. La période actuelle me semble sans précédent historique, en ce sens qu'elle a évacué les valeurs morales. Des critères comme la performance et l'utilitarisme, l'exploit et l'instrumentation ne peuvent être rangés dans le tiroir des valeurs qui donnent du sens à la vie.

Quels que soient les principes auxquels on adhère, on a besoin de s'appuyer sur des valeurs, d'y asseoir notre compréhension du monde, notre vision de la société et notre finalité existentielle, incluant l'intention érotique. Les valeurs ne sont pas obsolètes. Elles sont le levier des projets de société et figurent au cœur des quêtes personnelles. Sans elles, c'est le vacuum et l'absurde.

Les valeurs ont de la valeur. Elles injectent de la signification dans nos gestes et dans nos choix. Au-delà du sens des valeurs, il y a le sens de la valeur des valeurs.

UN MODÈLE SEXUEL DÉMOCRATIQUE ?

La pornographie s'est démocratisée. Elle envahit les cours d'école, les vêtements, les tatouages, les bracelets sexuels, la musique, les ordis, les *piercings*, la bouffe pour chats, les voitures… Un bruit de fond. Un ver d'oreille. Un ver de sexe. Qui retrouve-t-on sur son plateau ? Des filles et des garçons sculptés, jeunes, fringants, musclés, fuselés, lustrés, beaux, épilés, en santé, – riches, – bronzés, *botoxés liposucés*. Parfois des fillettes. Jamais ils n'ont l'air malade. Jamais ils n'enfilent un préservatif. Jamais ils ne sont porteurs du VIH ou atteints du sida[131]. Sur la planète porno, handicaps et fragilités n'existent pas. Dans cet enclos ruent des surhommes et des supernanas !

L'omniprésence de la pornographie donne l'impression d'une démocratisation de la sexualité. Miroir aux alouettes puisqu'elle la réserve à un mince segment de la population. La pornographie se propage. La sexualité ne se démocratise pas.

Les vieux

Incongruité de nos sociétés postmodernes : le sexe est réservé à la jeunesse pendant que le concept de vieillesse est en pleine mutation. C'est d'ailleurs la première fois dans l'histoire de l'humanité qu'il nous faut dissocier la notion de vieillesse de celle de *grand-parentalité*. En effet, de nombreux hommes accèdent aujourd'hui au statut de grand-père en même temps qu'ils deviennent pères à nouveau. Et bien des grands-mères roulent des hanches bien plus que du fauteuil roulant ! Souvent redevenue

---

131. Ils s'y exposent pourtant, de nombreux producteurs de porno contraignant « leurs » poulains au sexe non protégé.

célibataire, la jeune grand-mère est forcée de se redéfinir comme femme à part entière : professionnelle, amante, amie et grand-mère en sus, habitée d'une nouvelle sensualité et pleinement érotique. Elle se retrouve sans modèle auquel se référer et s'identifier.

Il m'arrive de rencontrer des femmes de 50 ou 60 ans bien plus olé olé que leurs filles de 30 ans : elles ont des amants, voyagent, font du nudisme à la plage et y vadrouillent, seins d'origine au vent. Récemment, j'ai demandé à un bambin de huit ans ce que font ses parents.

> *« Ma maman est notaire, mon papa est informaticien. » Puis il ajoute, tout amour : « Ma mamie est une révolutionnaire et son amoureux est un* skater. »

Elle doit passer pour une joyeuse cinglée dans la famille ! me suis-je dit pour moi-même… L'autre jour encore, une fillette à qui je proposais de dessiner sa grand-mère traça un grand avion sur sa feuille. Du hublot, on apercevait des yeux canailles.

> *« C'est ta grand-mère, ça ? ! »*
> *« Oui. Elle est en voyage. Entre deux expéditions, elle me raconte ses aventures quand elle me garde. Mais, ajouta encore la fillette, je crois qu'elle aimerait bien avoir un amoureux. Ça ne devrait pas tarder, si tu voyais comme elle est pétard ! »*

Les nouvelles grands-mères créent des liens ludiques avec leurs petits-enfants. Seules ou en couple, elles ont l'humeur folichonne. Les études récentes sur la sexualité montrent que les hommes et femmes de 65 ans et plus ont, en solo ou en duo, des activités sexuelles régulières. Plusieurs sont habités d'un sentiment d'urgence. Je mets sur le compte de l'horloge biologique féminine plus implacable mon impression que cette fébrilité est plus impérative chez elles que chez eux… L'absolue certitude d'infécondité réforme le corps infertile en véhicule strictement dédié à la joie. Clairvoyantes, sans illusions quant au temps qu'il leur reste, ces femmes mûres se laissent transporter par les plaisirs que la vie distille. Elles sont actives, font des virages parfois spectaculaires, grillent des étapes si elles jugent qu'il n'y a pas une seconde à perdre.

Ces «grandes mères» actualisent leurs fantasmes plus fréquemment que leurs cadettes et osent ce qu'elles n'ont pas osé avant. Cela apeure leurs homologues masculins, souvent divorcés de femmes du même âge, alors que cette pétulance fascine les hommes plus jeunes qui en profitent avec elles. On me reprochera de parler davantage des mamies que des papis et on aura raison. Je les connais mieux. Je rencontre des femmes de cet âge depuis 25 ans; elles sont ouvertes et se livrent sans ambages. Je les ai visitées aussi par personnes interposées: si vous saviez comme les enfants sont loquaces à l'égard de leurs aïeules de lignée maternelle! Des gamins et gamines ravis me parlent couramment de leur mamie *full* sexuelle. Il est bien plus rare qu'ils en fassent autant de leur papi.

Un autre aspect fondamental qui distingue les femmes et les hommes après la cinquantaine: elles n'ont aucune propension à répéter l'histoire ancienne. Elles essaient rarement de recréer le passé, de fabriquer du neuf avec du vieux. Pour elles, d'une histoire d'amour à une autre, rien n'est pareil. Par ailleurs, les hommes du même âge semblent récidiver davantage. Je ne sais pas s'ils aiment de la même manière ou si c'est leur nouvelle flamme qui donne à leur histoire une tournure semblable à la précédente… Ils se remarient, refont des enfants, rachètent des maisons, se *réinstallent*… En fait, ils transposent intégralement le schéma «vie de couple et familiale» qu'ils avaient adopté 15 ans ou 30 ans plus tôt. Les femmes vieillissantes aiment différemment, me semble-t-il. Elles inventent de nouvelles manières d'être en couple, visitent la planète, trimballent de moins en moins de possessions mobilières et immobilières, s'allègent au lieu de s'installer… Elles se délestent et se délectent.

Les différents

La sexualité des personnes déficientes, physiquement ou intellectuellement, est extrêmement taboue. Si de surcroît elles vivent en institution, alors là, c'est le tabou des tabous !

On a beau savoir et convenir que la sexualité contribue à l'équilibre physique et mental de tout être humain, que ces personnes naissent et vivent sur la même planète que nous, qu'elles subissent la même influence de la société de consommation, qu'elles imitent les modèles que nous représentons, rien n'y fait ! On persiste à ressentir des peurs tenaces devant l'expression de leurs besoins érotiques. Il ne fait aucun doute que notre belle société si libérée serait plus tranquille si la personne handicapée était également sexuellement handicapée !

Soit on imagine ces personnes asexuelles, incapables de plaisir, de désir, de discernement, tous et toutes des enfants à protéger, soit on les croit aux prises avec une pulsion sexuelle débridée, dénaturée, volcanique, incontrôlée et incontrôlable. Dans un cas comme dans l'autre, nous nous empêchons d'informer, d'éduquer à la sexualité sous prétexte que de toute façon elles n'y comprendraient rien. Notre silence les force à avaler le modèle sexuel dominant, sexiste et violent, les rend vulnérables à l'abus, les conforte dans leur sentiment d'incapacité : « Je ne suis pas normal-e, donc je ne suis pas capable. » Ce n'est pas leur handicap qui accentue leur vulnérabilité, ce sont nos préjugés à l'endroit de ce handicap.

Nous nous gargarisons d'édifiantes théories humanistes, axées sur le potentiel de croissance de chaque être humain, alors que nous tolérons bien mal les décalages. Dans notre société supposée être ouverte au plaisir et à la différence, nous nous représentons la sexualité des personnes hors norme à l'image de notre perception de leur différence : bizarre et grotesque. Sur tous les plans, nous essayons de les aider à être le plus autonomes possible, sauf bien sûr au chapitre de leur droit à la sexualité.

Malgré leurs limites, nous leur apprenons à se brosser les dents ou à prendre l'autobus. Pourquoi ne les aidons-nous pas à donner le consentement le plus libre et le plus éclairé possible ou à solliciter ce consentement en matière de sexualité ?

Je doute moins des capacités des personnes modérément déficientes à assimiler de l'information sexuelle que de la volonté réelle des personnes « normales » qui les entourent à transmettre cette information.

Lorsque la sexualité et l'érotisme seront des univers de célébration appartenant à tous les êtres humains, lorsqu'ils insuffleront du sens et de la signification, de la valeur et de la dignité dans chacune de nos vies, lorsqu'ils rendront les gens plus heureux et plus accomplis, on pourra croire que le modèle sexuel de consommation et de performance qui prévaut actuellement agonise et qu'il est sur le point de céder le pas à un modèle sexuel démocratique et relationnel…

CONCLURE

Pour une thérapeuthique
de la signifiance érotique

J'ai commencé ce livre avec une métaphore amérindienne comparant le bonheur à un petit pois facile à égarer. Si cette lecture donnait envie de partir à la recherche de ses propres clés et à la conquête de sa liberté, j'en serais ravie.

Contacter ses vrais désirs et appétences, s'affirmer érotiquement, voilà qui est ridiculement simple et follement embarrassant. J'espère avoir convaincu le lecteur qui en aurait douté que les hommes et femmes sont des créatures bien plus semblables qu'on tente de nous le faire croire. Ils portent les mêmes besoins affectifs et subjectifs d'amour et de reconnaissance et au sein de l'espèce humaine, ce sont ces besoins qui priment.

Il est troublant, en ce début de IIIe millénaire, que le désir sexuel des femmes soit traité dans les bureaux de sexologues alors que celui des hommes relève de plus en plus des labos pharmaceutiques. Je m'inquiète de voir dans ces modes de traitement antagoniques l'installation d'un fossé, la cristallisation d'une perception opposant féminité et masculinité. Pfizer, créatrice de la célèbre pilule bleue, abandonnait récemment ses efforts pour concocter un équivalent du Viagra pour femmes. Le géant du médicament aurait conclu que le désir des femmes, avec son siège dans le cerveau, était bien trop complexe. Comme si celui des hommes était purement pénien ! Ça leur en fait un érotisme à ras les pâquerettes à nos amoureux !

Je souhaite aussi avoir démontré que l'harmonie érotique ne repose pas sur des prescriptions imposées. Elle ne découle pas des thérapies génitales si répandues et moins encore de l'invasion médiatique pornographique dans nos chambres à coucher. Elle participe d'une culture amoureuse à inventer. Elle pourrait naître d'une éducation sexuelle et affective réaliste qui valorise et favorise pour chacun la découverte de son propre réseau de réactions sexuelles, l'exploration de ses voies érotiques, et qui permette ensuite, dans la relation à l'autre, d'actualiser sa capacité d'aimer et de jouir en traversant le temps. Lorsque la sexualité sera facteur et théâtre d'humanité plutôt qu'une fuite, un carburant, un commerce, un outil de pouvoir, une compulsion ou une manipulation, nous saurons que la révolution sexuelle est vraiment en marche.

Le premier pas dans cette direction est de soigner la tumeur principale : l'insignifiance rattachée au sexuel. Tout le reste, toutes les misères, souffrances et difficultés me semblent des excroissances secondaires. Soigner les métastases sans s'attaquer à la cellule souche responsable de toute la prolifération anarchique est peu utile. En agissant sur la tumeur mère, les lésions secondaires ont des chances de se dessécher, de s'atrophier, de disparaître. Vivement une thérapie de la signifiance érotique !

En m'intéressant longtemps à la sexualité des personnes âgées, des personnes handicapées puis à la sexualité des jeunes, j'ai été à contre-courant de l'intérêt général. Je crois bien que je rame encore contre le vent. Il m'arrive d'imaginer que la sexualité est un rêve. Est-ce la sexologue ou la femme que je suis qui devient la rêveuse ? Les deux, assurément. Et depuis mon théâtre onirique, je me rends bien compte que la vie érotique la plus riche sera toujours celle de l'imaginaire. S'agit-il là d'une objection à l'égard de ma profession ? Je m'en moque. J'accueille mes paradoxes et m'en amuse.

Mon attention se fixe maintenant sur toutes ces successions de phrases que je viens d'aligner, redondantes à l'occasion et qui, dans le meilleur des cas, ne sont que de discrets clignotements. La montée du fanatisme religieux – à sa façon totalement obnubilé par le sexe – côtoyant l'obsession du sexe dans nos sociétés occidentales me fait dire que la sexualité demeurera un sujet de controverse pour un sacré bout de temps encore.

Comme Michel Foucault, je crois qu'un jour on s'éberluera que cette civilisation des xxe et xxie siècles, si affairée à réaliser d'immenses appareils de production et de destruction, se soit tant souciée de sexe. J'imagine ma très arrière-petite-fille souriant à l'idée que son aïeule croyait, elle aussi, qu'il y avait du côté de l'amour une vérité pas plus bête que d'autres.

J'aurais aimé avoir le génie d'inventer un paradigme sexuel tout neuf, mirobolant et irrésistible. Un modèle érotique inédit, breveté mais gratuit, démocratique et universel, garanti à vie, dispensateur de bonheur et de sens à vivre ! Mais non…

Si l'on pouvait seulement faire l'amour comme si c'était interdit ! Aimer comme si c'était permis ! Là. Maintenant.

jocelyne_robert@videotron.ca
Terminé à Longueuil, le 14 février de l'an 2005

BIBLIOGRAPHIE

ABRAHAM, Georges. *Psychiatrie pluri-dimensionnelle*, Paris, Éd. Payot, 1979.

ALBERONI, Francesco. *Le choc amoureux*, Paris, Éd. Ramsey, 1981.

_____. *Le vol nuptial : l'imaginaire amoureux des femmes*, Paris, Éd. Plon, 1992.

ANGIER, Natalie. *Femme! De la biologie à la psychologie, la féminité dans tous ses états*, Paris, Éd. Robert Laffont, Pocket, 2000.

ARCAN, Nelly. *Putain*, Paris, Éd. du Seuil, 2001.

ARCAND, Bernard. *Le jaguar et le tamanoir. Vers le degré zéro de la pornographie*, Montréal, Éd. du Boréal, 1991.

BARTHES, Roland. *Fragments d'un discours amoureux*, Paris, Éd. du Seuil, 1977.

BATAILLE, Georges. *Death and Sensuality, A study of Eroticism and Taboo*, New York, Éd. New York Walker, 1962.

_____. *L'érotisme*, Paris, Éd. de Minuit, 1957.

BLONDIN, Robert. *Le mensonge amoureux*, Montréal, Éd. de l'Homme, 1985.

BLOOM, Allan. *L'amour et l'amitié*, Paris, Éd. Falois, 1997.

BRETON, André. *L'amour fou*, Paris, Éd. Gallimard, 1937.

BRUCKNER, Pascal et Alain FINKIELKRAUT. *Le nouveau désordre amoureux*, Paris, Éd. du Seuil, 1977.

CHANG, Jolan. *Le tao de l'art d'aimer*, Paris, Éd. Calmann-Lévy, 1977.

CLARE, Anthony. *Où sont les hommes ? La masculinité en crise*, Montréal, Éd. de l'Homme, 2004.

CORNEAU, Guy. *La guérison du cœur. Nos souffrances ont-elles un sens ?*, Montréal, Éd. de l'Homme, 2000.

CRÉPAULT, Claude. *L'imaginaire érotique et ses secrets*, Québec, Éd. Presses de l'Université du Québec, 1981.

CYRULNIK, Boris. *Éthologie de la sexualité*, Éd. Krisis, n° 17, 1995.

_____. *Sous le signe du lien*, Paris, Éd. Hachette, 1989.

D'ANSEMBOURG, Thomas. *Être heureux, ce n'est pas nécessairement confortable*, Montréal, Éd. de l'Homme, 2004.

DORAIS, Michel. *Les lendemains de la révolution sexuelle*, Montréal, Éd. Prétexte, 1986.

DUCHARME, André. *Pour en finir avec les casse-cul*, Montréal, Éd. du Boréal, 1992.

ETCHEGOYEN, Alain. *Éloge de la féminité*, Paris, Éd. Arléa, 1997.

FOUCAULT, Michel. *Histoire de la sexualité I. La volonté de savoir*, Paris, Éd. Gallimard, 1976.

_____. *Histoire de la sexualité II. L'usage des plaisirs*, Paris, Éd. Gallimard, 1984.

FROMM, Erich. *L'art d'aimer*, Paris, Éditions Universitaires, 1967.

GREEN, André. *Les chaînes d'éros : Actualité du sexuel*, Paris, Éd. Odile Jacob, 1997.

GUILLEBAUD, Jean-Claude. *La tyrannie du plaisir*, Paris, Éd. Seuil, 1998.

HITE, Shere. *Le rapport Hite*, Paris, Éd. Robert Laffont, 1977.

LABORIT, Henri. *L'éloge de la fuite*, Paris, Éd. Robert Laffont, 1976.

LAROUCHE, Jean-Marc. *Éros et Thanatos. Sous l'œil des nouveaux clercs*, Montréal, Éd. VLB, 1991.

LEMOINE, Patrick. *Séduire. Comment l'amour vient aux humains*, Paris, Éd. Robert Laffont, 2004.

MATTEAU, Andrée. *Dans la cage du lapin. De la pornographie à l'érotisme*, Montréal, Éd. du Cram, 2001.

MEDICO-VERGRIETE, Denise. *Le baiser*, Montréal, Éd. Stanké, 1999.

MILLET, Catherine. *La vie sexuelle de Catherine M.*, Paris, Seuil, 2001.

NELLI, René. *Érotique et civilisations*, Paris, Éd. Weber, 1972.

REICH, Wilhelm. *La révolution sexuelle*, Paris, Éd. Christian Bourgeois, 1986.

RICARD, François. *La génération lyrique. Essai sur la vie et l'œuvre des premiers-nés du baby-boom*, Montréal, Éd. du Boréal, 1992.

ROBERT, Jocelyne. *Full sexuel. La vie amoureuse des adolescents*, Montréal, Éd. de l'Homme, 2002.

_____. *Parlez-leur d'amour… et de sexualité*, Montréal, Éd. de l'Homme, 1999.

ROCHON, Jean-Pierre. *Les accros d'Internet*, Montréal, Éd. Libre Expression, 2004.

SERVAN-SCHREIBER, David. *Guérir. Le stress, l'anxiété et la dépression sans médicaments ni psychanalyse*, Paris, Éd. Robert Laffont, 2003.

TURCHET, Philippe. *La synergologie. Comprendre son interlocuteur à travers sa gestuelle*, Montréal, Éd. de l'Homme, 2004.

_____. *Pourquoi les hommes marchent-ils à la gauche des femmes*, Montréal, Éd. de l'Homme, 2002.

VAN GULIK, Robert. *La vie sexuelle dans la Chine ancienne*, Paris, Éd. Gallimard, 1993.

VAN USSEL, Jos. *Histoire de la répression sexuelle*, Paris, Éd. Robert Laffont, 1970.

WATZLAWICK, Paul, *et al.*, *Une logique de la communication*, Paris, Éd. du Seuil, 1972.

YHUEL, Isabelle. *Les femmes et leur plaisir*, Paris, Éd. J.C. Lattès, 2001.

Magazines et journaux

Bulletin de l'Union des Artistes du Québec, article de Pierre Curzi, vol. V, n° 3, novembre 2004.

Cerveau et Psycho, « Les ailes du désir », vol. 2, 2003.

Journal of sex Research, article de John Money, vol. 18, 1982.

Journal *La Presse,* 13 et 17 novembre 2004, article de Nathalie Collard.

Psychology Today, octobre 2004.

ANDERSON, R.A., *et al.* «The effects of exogenous testosterone on sexuality and mood of normal men», *Journal of clinical Endocrinology and Metabolism,* 1992, cité par A. Clare.

ARCHER, J. «The influence of testosterone on human agression», *British Journal of Psychology,* 1991, cité par A. Clare.

HARD, Sandra. *Sexual Abuse of the Developmentally Disabled: a case study,* conférence au «National Conference of Executives of Associations for Retarded Citizens», Omaha, Nebraska, 1986.

O'CARROL, R., *et al.* «Androgens, behavior and nocturnal erection in hypogonadal men: the effects of varying the replacement dose», *Clinical Endocrinology,* 1985. Cité par A. Clare.

TABLE DES MATIÈRES

Troisième partie
L'ORGASME RELATIONNEL
ET LA RÉVOLUTION AMOUREUSE

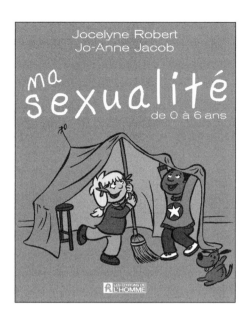

MA SEXUALITÉ DE 0 À 6 ANS

Les jeunes enfants sont fascinés par la découverte de la différence des sexes et ils le manifestent allègrement. Il se promène pénis au vent à la garderie. Elle joue consciencieusement au docteur. *Ma sexualité de 0 à 6 ans* invite les tout-petits au pays de leur propre développement sexuel et propose aux parents des pistes joyeuses pour accompagner leur enfant dans cet univers.

MA SEXUALITÉ DE 6 À 9 ANS

On imagine trop souvent que le développement psychosexuel de l'enfant est suspendu entre l'âge de 6 et 9 ans. Pourtant, entre la petite enfance et la prépuberté s'élabore une belle saison d'intégration progressive favorisant une meilleure compréhension des facettes de la sexualité. *Ma sexualité de 6 à 9 ans* invite les filles et les garçons à mieux connaître leur corps, à identifier leurs besoins d'affection, à comprendre le comment de leur naissance, à se protéger des prédateurs sexuels, etc. Les exercices proposés font du jeune lecteur le coauteur et le personnage principal de ce livre. En bout de ligne, il parviendra à consolider son identité sexuelle et à être fier d'être une fille ou un garçon.

MA SEXUALITÉ DE 9 À 11 ANS

Au moment de la prépuberté, le corps devient un formidable moteur de transformation de toute la personne. *Ma sexualité de 9 à 11 ans* propose une réflexion joyeuse et active sur le besoin de se sentir beau ou belle, sur le goût de se rapprocher de l'autre sexe, sur les phénomènes liés à la puberté et sur bien d'autres sujets. Convaincue que l'enfant a surtout besoin d'être rassuré en matière de sexualité, l'auteur le convie à apprendre et à comprendre ce qui se passe en lui, à trouver des réponses satisfaisantes et donc à s'approprier sa sexualité et à mieux se connaître. Les parents trouveront aussi dans ce livre des pistes simples permettant d'établir avec leur enfant un dialogue franc sur les questions relatives à la sexualité.

FULL SEXUEL

FULL SEXUEL parle aux adolescents d'amour et de sexualité. Écrit sur un ton ludique, mais toujours respectueux, il propose aux jeunes de trouver leurs propres réponses et de situer leur sexualité de façon harmonieuse dans leur projet de vie. Ici, la légitimité du plaisir et le partage sur les beautés de la sexualité, c'est-à-dire l'attrait, le désir, l'érotisme, le corps, l'orgasme et la « normalité », priment sur le discours moralisateur, le traitement infantilisant, la description anatomique ou les misères sexuelles. Comme son titre l'indique, *FULL SEXUEL* est branché sur le droit au plaisir, la quête d'amour et la recherche de bonheur.

TE LAISSE PAS FAIRE !

Ce livre est destiné aux parents
et aux enfants âgés de 4 à 12 ans

L'auteur convie les lecteurs à entreprendre une démarche de prévention visant à donner à l'enfant le pouvoir qui lui revient sur son corps et sur sa vie. Car il faut bien qu'il apprenne que les ogres et les loups ne se retrouvent pas seulement dans les contes ! La tâche est d'autant plus délicate que les abus sexuels commis par des proches sont ceux que les enfants taisent le plus souvent et le plus longtemps. Cet ouvrage a pour but de faire de l'enfant et du parent une équipe vigilante et plus rusée que le prédateur.

Achevé d'imprimer au Canada
sur les presses des Imprimeries Transcontinental Inc.